賞心樂事誰家院

历史人物与文化变迁

郑培凯 著

文匯出版社

到“天下兴亡，匹夫有责”，很是激昂慷慨，作为后生小子，虽然心向往之，想看看《日知录》，却慑于顾炎武学问太大，没敢到图书馆去借阅。

到了高中，读书渐多，才知道那副掷地有声的对联不是顾炎武作的，是他的本家前辈明末东林书院顾宪成（1550–1612）所撰，也由此憬悟，耳食的知识不太可靠，必须眼见为实。于是，到图书馆去借了几册《日知录》，还记得是老商务印书馆的“万有文库”本，每一册都薄薄的，比手掌略大一点，总共大概有十几二十来册。翻开《日知录》，发现这是部记录读书之后考证与随感的学术札记，经史子集无所不包，林林总总，博大精深。《日知录》的《目录题辞》说，“愚自少读书，有所得辄记之，其有不合，时有改定”。《四库全书总目提要》评论《日知录》说：“炎武学有本原，博赡而能通贯，每一事必详其始末，参以证佐而后笔之于书。故引据浩繁，而牴牾者少。”顾炎武的读书法给我很深刻的印象，就是要博读群书，读书必须“心到手到”，若有心得就写成札记。札记是“为己之学”，不急着发表，以后遇上新材料，也不可“臆必固我”，要能随时修正不太妥善的论点。

顾炎武形容他写《日知录》是“采铜于山”，像矿工一样，在群书的山峦之中开矿，以辛劳的汗水，披沙拣金，孜孜矻矻饱览群籍，日日夜夜爬梳书牍，获取有用的宝贵知识。他读书问学的方法对我影响很大，觉得做学问写文章，第一先要多读书，其次要读得透彻，再来要有自己独到的心得，绝对不可“天下文章一大抄”，假充学问家。写文章要有内容，而且是温故知新确有自身体会的内容，绝对不能像《孟子》描绘的齐人，每天到坟上去乞食，餍足了酒食，回家还要“骄其妻妾”，当一个恬不知耻的学术乞丐。然而，学海无涯，就如庄子所说：“吾生也有涯，而知也无涯，以有涯随无涯，殆矣。”怎么办呢？

据说顾炎武曾有名言“一事不知，儒者之耻”，反映了他好学的精神，然而他并不是漫无目的去求知，像书蠹虫那样死啃书籍，贪多嚼不烂。他曾写过一篇《广师》，指出自己学问有不及友朋之处，需要与益友切磋砥砺，以增长见闻："学究天人，确乎不拔，吾不如王寅旭；读书为己，探赜洞微，吾不如杨雪臣；独精三礼，卓然经师，吾不如张稷若；萧然物外，自得天机，吾不如傅青主；坚苦力学，无师而成，吾不如李中孚；险阻备尝，与时屈伸，吾不如路安卿；博闻强记，群书之府，吾不如吴志伊；文章尔雅，宅心和厚，吾不如朱锡鬯；好学不倦，笃于朋友，吾不如王山史；精心六书，信而好古，吾不如张力臣。"也就是说，以一人之力，不可能穷尽天下之学问，何况《礼记·学记》早就说过"独学而无友，则孤陋而寡闻"。每个人的性向与兴趣都有独特之处，顺应自己的个性，追求适合自己的学问，就能在不同的知识领域有长足的发展，超越群伦，有所建树。

读书求学的过程中，能够遇到良师益友，"奇文共欣赏，疑义相与析"，实在是人生之大幸。我高中决定报考文科，进大学研习文学，是因为我在青年成长阶段结交了一批爱好文学的朋友，接触到文学对生命意义的思考，触动了我青春的稚嫩心灵，日积月累，终于决定以写作为终身职志。或许这只是文艺青年涉世未深，不懂世事艰难的冲动，遭到父亲的强烈反对，警告我诗人历来半生蹉跎，一事无成，还是攻读理工是实际的谋生之道。我天生个性倔强，又值青年叛逆的成长阶段，执意要研读西洋文学，与父亲约法三章：考不上台大文学院，就不读大学，自谋生路当工人去；上大学不用家中一文钱，自筹学费；我的人生自己规划，不需要父亲为我操劳。回想起来，年轻时候的叛逆顶撞确实任性，一定伤了父亲的权威与尊严，违背了传统“孝者顺也”的标准，而没被赶出家门，倒显示了父母的睿智与爱心。一方面是他们宽容大度，另方面也反映了时代变化影响了他们的思想观念，可以勉强接受儿女自主的决定，不再认为那是大逆不道的忤逆行为。准备高考的高三时期，我有幸得遇两位名师，国文老师祝茂如先生与英文老师周复先生，两位老师都认为我在语文方面有特殊天赋，指点我阅读中外名著，鼓励我创作诗文，为我奠下了坚实的文史基础，让我进入台大外文系之后游刃有余，除了旁听叶嘉莹老师的古典诗词，还同时兼修了历史系的课程，拓展了我的视野与兴趣。

回顾我在大学四年的求学经历，主要是广泛阅读一切领域的知识，和志趣相投的同学读书论学。对本科的无聊课程，能逃课就逃课，到处旁听各个院系的课程，除了医学院、工学院及商学院没去过，其他如理学院、法学院、农学院大概都有过我的踪影。大多数是听了一堂就再也不去，却也有持续一整个学期的，如森林环境、造园学、酒类酿造等课程。研读中外文学、哲学、史学之外，还担任两种校刊的文艺编辑，参与当时在台湾风起云涌的现代诗运动。创作现代诗，使我特别关注从古典诗词到现代白话诗的文字转型，执迷于中国文字的结体与意涵，对每一个字含意的来龙去脉与可能衍生的现代语意，发生了浓厚的兴趣。虽然始终不喜欢传统的文字训诂与音韵学，感到枯燥无味，缺乏学问新知所能提供的无限惊喜，觉得那是一种对传统骸骨的迷恋，无助于勃发现代文化的生机，但是，我毕竟还是相信传统朴学最关键的一个道理：读书必先认字。或许从小对顾炎武的崇敬，一直在潜意识中引导我的思维，使我在追求现代性文化的过程中，从来不曾加入一些思想激进的同学行列，大言不惭，随意套用黑格尔的话语，声言已经扬弃了中国传统文化。

真正下决心研究学问，走上学术的道路，是在大学摸索了三年之后的事。这过程也是追寻自己兴趣的历程，可说经过了“转益多师”的磨砺，像古代学佛的僧人，走访名山大川，希望能够遇到点传开悟的禅师。在外文系对我多所启发的有朱立民、余光中、王文兴，指导我研读美国文学、英诗与二十世纪英美小说。我也曾研习当时流行的“新批评”理论与实践，探究文本的结构与意象象征，多少有点像搬弄概念游戏，令我质疑文学研究的意义，而决定改变专业，以历史文化研究为追索的方向。在中文系听过《诗经》《尚书》，对我影响最大的却是叶嘉莹老师，或许是因为古典诗词完全符合我的脾性，但更因为叶老师讲课的无穷魅力，让我觉得诗词展现的审美意境，是文化追求的最高境界。历史系的课程最终开启了我学术研究的方向，得要感谢李济与许倬云两位老师，让我对考古人类学发生了兴趣，也对历史研究要结合文献与出土文物的二重研究法有了初步的认识。

二

十年前我和一群钻研中日文化交流的朋友，成立了“东亚文化交涉学会”（Society for Cultural Interaction of East Asia），推展东亚地区历史文化交互影响的研究，特别关注十六世纪早期全球化以来，东亚文化交流的内容开始错综复杂，掺入了西方因素，成了现代东亚文明步入全球化，却又各具特色的历史文化现象。在北京举办第九届年会之际，学会希望出版一份年会场刊，邀请我谈谈自己的学术道路，发给我一份详细的问卷。我从问卷提出的议题中，发现学界对我多元多样的研究面向十分好奇，隐约感到其中有一种内在联系，希望我能从跨学科方法论的角度，探讨我的治学方向。

这份问卷相当有趣，虽然涵盖的只是我在近十几年出版著作中的研究课题，却也反映了现代学术专业化之后学术同行的困惑，认为我研究的课题各有其专精的范畴，却又像下跳棋那样，从这个领域跳到那个领域。表面上似乎毫不相干的学术课题，为什么会吸引我去研究呢？我且把问卷列在下面，再做些回应：

一、您的研究涉及了明代戏曲、茶、陶瓷、电影，乃至非物质文化的口传心授等诸多问题，这些研究在题材、时间、领域上都是具有一定的跨越性。请问这些研究之间是否具有某些内在的关联或者一致性？您这种“跳跃式”的研究背后，除了“有意思”之外，更深层的动机和思考是什么呢？进而言之，是否有一条或几条问题意识的红线始终贯穿在您以往的学术研究当中？

二、您独辟蹊径地选取汤显祖，作为进入晚明文化的通道，是如何从“文化美学”这个“方法论”上展开阐释的，能简单地介绍一下吗？

三、我们知道近代以来中国遭遇了“三千年未有之大变局”，您认为作为士大夫的汤显祖和他的戏曲创作，乃至实存的人生经验，给今天的人们提供的有意义的启示都有哪些？

四、如何运用现代以来的学术方法和理论，挖掘、整理、重构中国传统的历史和文化因素，您的研究展示出一种高超的“道”“器”结合的典范——在深刻理性的同时，呈现出强烈的文人气质，且行文颇具文学性，对此您可否谈谈您的心得？尤其是对于文史领域的青年学者如何展开研究、著文，请您从自身的研究出发谈一下您的经验和瞩望？

五、东亚文化交涉学会自成立至今，您曾担任第五届会长，今年年会的主题是“全球史观与东亚的知识迁移”，请您对此谈谈您的认识和感想？

说到我的学术研究，一般人会从我二十年来出版的著作来考虑，就是汤显祖研究、明代戏曲研究、茶文化、陶瓷下西洋、电影的人文精神、非物质文化遗产、经典翻译等等，有的是思想史与文化史研究，有的属于文学与艺术史，有的是电影评论与理论，有的是非物质文化遗产，有的是跨文化的翻译学，时代跨度很大，学术分科的领域相当不同，有些似乎是风马牛不相及。其实，表面上的“跳跃性”，内里是有其相关的逻辑，有一条我个人问学道路的逻辑，要从我开始从事学术研究的脉络说起。

认真说起来，我从事学术研究，并不是想当一名学者，而是要解决我内心的知识困惑，要回答心底难以遏抑的求知欲望，想要理解人类文明发展的走向，知道我活着到底有什么存在意义。我对人类文明有既定的假设，认定了个人生命意义与历史文化有关，在相当程度上，呼应张载的四句教：“为天地立心，为生民立命，为往圣继绝学，为万世开太平。”虽然并不完全赞同他那种圣者居高临下的姿态。假如人类生命的意义与历史文化有关，到底是怎么个有关法？假如我生活在二十一世纪物欲横行的时代，既不想当政治领袖，又不相信哲学家可以解决人类文明前途的困境，我可以做什么？

我的诸多兴趣，是怎么来的？是天生性格的潜在DNA就已经决定，还是后天文化熏陶所致？又是在什么样的历史环境中诱发出来？与相类似的别人有什么不同？对兴趣的追求，应该是“为己之学”，为什么会有社会意义？为什么会引发别人的注意，甚至要我述说学术追求的心路历程？我读书思考，经常会从古人的生命处境中得到似曾相识的（deja vu）感悟，还会从脑海深处，下意识地跳出“无可奈何花落去，似曾相识燕归来”的诗句，引出充满诗意的联想。读黑格尔与马克思的哲学论述，有时也会联系到中国经典的哲思，甚至有点不可思议的是，会联想到晋唐书法的遒劲开张。这种天马行空式的思维转换，并非有意为之，而是自然天成的涌现，好像阳明学说强调的“活泼泼地”，总不可能完全是“良知本能”吧？其中一定牵扯了我自己的生命历程，以及成长过程中浸润的文化影响。

三

我虽然在青岛出生，却在台湾长大，从小就对中国近代历史文化的理解充满了怀疑与好奇，对中共的崛起及国民政府退居台湾一隅感到费解，对台湾从二十世纪五十年代到六十年代（也就是我成长的时期）的反共教育与禁书政策极为反感。我喜欢古典文学，同时热爱文艺创作，听长辈说起五四以后的新文学及电影，心向往之，却因左翼文艺是共产党的同路，在台湾一概全禁，不能看鲁迅、茅盾、老舍、巴金、沈从文等，不知道曹禺、艾青、穆旦，只能读朱自清、徐志摩、梁实秋，感到一种茫然的挫折与气闷，觉得生命只是社会牢笼的囚禁。当时我热衷现代诗写作，并参与现代实验剧场的活动，追随台湾现代派的“横的移植”文艺潮流，沉浸于法国存在主义哲学，以抗拒国民党提倡的反共文学。所以，当我选择大学读文学专业，考的是台湾大学外文系，研读西方文学，学了一套当时流行的“新批评”文本细读分析方法。因此，对文本的字斟句酌成了我的基本训练，但却对文学研究不理会历史文化背景与思维语境感到不满，转而研习历史学，印象最深刻的是研习上古史，受到李济与许倬云两位老师的启迪，思考非文献的考古资料如何展现历史生活的实况，拟想物质生活与精神文明发展的关系。回顾我大学的求学经验，对学问的兴趣，只是个人生命意义的追求，是要了解：社会的生态变化如何影响了文化思想与文艺创作，艺术审美与历史文化变迁到底对我有什么意义，又展现了什么样的文明进程。更进一步想理解，文学与艺术的杰作为何可以超越时代的限制，成为后世崇尚的不朽著作，为人类文明作出重大贡献。

我一九七〇年负笈美国，师从夏威夷大学研究中国近代思想史的郭颖颐教授，攻读历史学硕士学位，研究从晚清到民国时期的思想文化变迁，特别关注文学与社会变化的互动关系。在一九七〇年至一九七二年期间，为了满足被长期剥夺的阅读自由，几乎夜以继日，孜孜不倦，遍读美国各地图书馆能找到的五四以来的新文学材料，开始了海阔天空、不受羁绊的知识追求道路。在毫无功利的泛读过程中，我觉得周作人对晚明文学的崇尚，涉及晚明时期出现个人主体觉醒的集体意识，是中国文化转型的前兆，也就开始思考晚明文化的世界史意义。一九七二年我进入耶鲁大学攻读历史学博士学位，受到法国年鉴学派与布罗代尔研究十六世纪环地中海区的影响，兴趣转为探索晚明以来中国文化与思维的历史波折，思考早期全球化过程中世界历史重心转移到西方的变化。先是研究李贽与泉州海外贸易的历史背景，后来又研究汤显祖与晚明戏曲发展的关系，希望联系起商品经济发展、个人主体思维探索、文艺创作创新、戏剧演艺跨越不同社会阶层等课题，想借着具体的历史案例，探讨文艺审美风尚发展的文化意义。

在耶鲁大学期间，我跟随鲍默（Franklin L. Baumer）教授，认真研究十六世纪以来的西方思想史，想弄清楚文艺复兴以来西方思潮的脉络，特别关注马克思主义美学理论的现代发展，专注于卢卡奇与布莱希特对古典主义与现代主义的理论冲突，希望藉此建立一个比较文化的参照系，深入理解中国近代文化转型的结构性意义。由此接触了新马克思主义对异化与人道精神的探索，翻转了马列教条式的“经济基础决定上层建筑”观点。又因经常受到导师史景迁（Jonathan Spence）与余英时两位先生的耳提面命，开始细致考察不同历史阶段各种社会阶层的生活经历，进而思考历史浪潮中每一个具体个人的生命意义，不再以概念化的分析手段去研究历史，而是设身处地，去理解历史人物的真实生命历程。

一九七六年我第一次探访中国大陆，想亲炙我出生及研究的神州大地，居然被台湾政府视为左派异端，吊销了我的护照，使我在美国流亡二十年，直到一九九〇年底才能回台探望父母。二十年流亡的生活经历，让我深刻体会，身为中国人，要随时提防政治迫害无孔不入的霜刀冰剑，也明白了明遗民在流离困顿之中坚持的精神支柱与追求，相信只有通过个人不懈的努力，让文化种子得以妥善保存，让优秀的艺术传统得以持续，才能发挥自己生命的意义。顾炎武的生命历程，先是直接参加抗清活动，后来为了延续文化传统的元气，转为毕生从事学术研究，对我有了崭新的启发意义。王勃《滕王阁序》有句："老当益壮，宁移白首之心？穷且益坚，不坠青云之志。"讲的也是这个意思。从一九八〇年开始，我穿梭于哈佛、耶鲁、哥伦比亚、普林斯顿之间，联系各校师友，参与香港出版的《抖擞学刊》，之后更创办《九州学刊》，鼓励美国华裔学者以中文发表学术观点，整合美国的汉学研究。我生活在人文荟萃的纽约，除了在大学讲授中国文化史，研究汤显祖、晚明文化与戏曲，日常接触的是西方歌剧与各类艺术表演，同时也接触到一批修复的二十世纪三四十年代的中国老电影，又对港台及大陆的“新浪潮”电影发生兴趣，也就很自然地写起电影评论，研究中国电影的历史文化背景与人文精神。

台湾结束戒严之后，一九九一年春季我回母校台大讲授“明代文化意识史”，综合探讨明代三百年社会经济与文化意识演变的关系，全面融入一切明清文献（包括戏曲小说）与书画园林实物遗存，探索明代的生活环境与精神心态。同时也开始研究茶文化自唐宋以来的历史转折，企图厘清茶道的传承，分析茶饮的物质性习俗与精神性礼仪的关系，并由此对陶瓷茶具的物质文化与审美品位发生兴趣。一九九八年我来到香港创办城市大学中国文化中心，规划中国文化教学的新方案，策划全方位的中国文化讲座，同时自己投入茶文化、陶瓷下西洋、昆曲传承等大型研究项目，结合了文化意识史与物质文明史的研究。当今学术研究出现专业范畴过于单向钻研的偏差，使得不少学者呼吁“跨学科”

（interdisciplinary）的研究法，其实与古人强调的“文史不分家”有异曲同工之处。我认为，中国传统的人文教育值得借鉴，必须文史哲兼通，结合现代西方的实证主义探索方法，才能高屋建瓴，达到跨学科研究的理想成果。

我的问学之道是曲折的，一开始并没有清楚的问题意识，只是顺着自己的强烈求知欲望，不断追求与探索引人入胜的知识领域。人生道路不可能规划清楚，更难以避免无妄之灾带来的挫折与困顿，因此，我遭遇的颠沛流离不应该是年轻人学习的样板，也不可能作为榜样来复制。我只是坚持“天生我材必有用”，从未放弃理想与学习，相信“为己之学”，居然因缘际会，一生得到无数师友的提携，走到今天。我探索表面上完全不同的学术领域，一方面是因为自己兴趣广泛，另一方面则是隐约感到不同领域的学问，都是息息相关的，都涉及审美追求对文明发展的意义。汤显祖成长的晚明社会，文化人都有澄清天下的道德期许，然而官场现实的利欲熏心与蝇营狗苟，很容易就让人腐化，迫使汤显祖做出坚守节操的选择，开创文学戏曲的新天地。汤显祖的现代启示，和陶渊明与苏东坡的选择类似，面对自己的人生选择，是道德节操的决定，也是自己人格塑造的审美追求，与人类追求美好的理想是分不开的。中国文化在精神与物质领域的审美追求，如何在历史发展中具体展现，以及个人创造的“文化美学”贡献又如何启迪后世，是我一贯关心的问题，或许也就是串起我跨越文学、哲学、历史、艺术不同领域的“一条红线”。

我一九七四年开始研究汤显祖，或许是个“历史的偶然”，然而，四十年来我一直研究他展现的文化意义，并由此延伸出历代审美追求的课题，却是我从未间断的“为己之学”选择。我从汤显祖身上看到了中国文化的耿介高洁，从他的人生挫折学到了如何坚守文化与道德理念，从他的生花妙笔看到文人可以“立言”，可以为文化与艺术创造光辉灿烂的风景。赞颂汤显祖不畏强权、独立自主的伟大人格，是我的历史体会，也是从未动摇的文化信念。我皓首穷经，却关心人类文明的发展，希望人们浸润美好的生活环境与人生体验，学习传统中追求优美的品质，提高人们的审美品位，祛除利欲熏心的贪婪想念，让社会不再沉沦。中国文化经历了近代的天崩地解，面临信念丧失的危机，必须从历史文化的研究中重新体会古人也曾面临的危机与挑战，建立自己的独立人格与自信，才能无负于传统留给我们的文明精华。

我一直探索的近代历史进程，是从十六、十七世纪早期全球化到二十世纪的全面全球化。这个历史阶段，涉及全球经济的变化，影响东亚思想文化与物质文明的流动，更促成西方政经军事与文化霸权的兴起，统治世界达两个世纪之久，可以从各个不同角度探索其冲击东亚文明的意义。俗语说，众人拾柴火焰高，学问研究也是如此。这四百年来的世界史，因东亚文化传统转型的动荡波折，出现人类文明发展中令人瞩目的契机，是需要我们努力思考与发掘的。

四

感谢上海新华发行集团与文汇出版社，特别是《书城》杂志执行主编顾红梅女士，敦促我把近十几年所写的随笔札记与序跋文字结集成书。这些文章有长有短，大多数是读书思考的心得，也有四方游历的记录，都是我生命历程的展现，有感而发，没有徒托空言的应酬文字。也要在此感谢董桥兄邀约我为他主编的星期日《名采副刊》撰文，才有书中许多关于历史人物的篇章。至于大量的序跋，则是我在负责香港城市大学中国文化中心期间，为策划各类研究丛刊以及艺术展览图录所写，反映了我规划中国文化教学架构的想法，致力于提升大学生的文化修养与艺术品位。

这套书的资料收集整理，颇费了一番心思，迁延逾年，得感谢《书城》编辑部同仁的耐心，不厌其烦为我编排设计，以期呈现比较完整的面貌。其中《多元文化与审美情趣》，涉及茶道、昆曲、园林与人文风景的文化审美追求；《历史人物与文化变迁》，反思历史人物的具体历史处境，希望藉此探讨文化变迁展现的历史意义转变；《文化审美与艺术鉴赏》，则从具体评论学术著作与艺术展览，反映了我个人对学术文化及艺术实践的观察与期望。

至于我自题的总名“赏心乐事谁家院”，当然是取自汤显祖《牡丹亭·惊梦》中杜丽娘小姐唱的“皂罗袍”一曲：

“原来姹紫嫣红开遍，似这般都付与断井颓垣。良辰美景奈何天，赏心乐事谁家院。”汤显祖和莎士比亚一样，都是善于转化古人名句的天才，经常扭转陈词滥调为锦绣文章。“良辰美景”“赏心乐事”是古人已经用滥的词语，但是经过汤显祖生花妙笔一挥，多了“奈何天”与“谁家院”，就出现了幽深无限的曲折变化，点铁成金，气象万千。《滕王阁序》中，有“四美具，二难并”的句子，“四美”指的是良辰、美景、赏心、乐事；“二难”指贤主、嘉宾难得。典故来自谢灵运《拟魏太子邺中集诗序》：“天下良辰、美景、赏心、乐事，四者难并。”王勃用典的方式很灵活，借用谢灵运的文章，把难并的“四美”拆开来，说“四美”都已具备，又说贤主、嘉宾都已莅临，“二难”并在。本来是四美难并，经王勃一扭，成了四美俱在；汤显祖再做了一番文字扭转，就刻画入微，点出了杜丽娘生命的困惑，青春美丽易逝，不知芳华沦落谁家。

我借用“赏心乐事谁家院”作为书名，另有典故，灵感来自周作人的散文集《自己的园地》，可算是敝帚自珍，在自家后院耕耘文字，自得其乐。文章千古事，得失寸心知。

郑培凯，好人好学问好手笔

刘再复

二〇一四年八月底，我应香港科技大学人文学院和高等研究院的邀请，到“清水湾”边上的课堂里讲“文学常识”。十月间，已经年满九十、一直对我护爱备至的蓝老（蓝真）请我吃饭。这位香港出版界的“老佛爷”，嗜书如痴，爱才如命，且一片天真天籁，在席间除了送给我范用老先生的雕像外，便是“品酒论英雄”。那天，他当着潘耀明、陈翠玲（香港三联前总编）、侯明（香港三联今副总编）、舒非（诗人）诸友问我：“你最喜欢的香港散文家是谁？”我毫不犹豫地回答：一是董桥，二是郑培凯。蓝老听了之后，轻轻拍了一下桌子，端起小酒杯说：“太好了，我也特别喜欢郑培凯。他很有知识，散文言之有物！”我接着说：“不仅有物，而且有趣。有理趣，有情趣，有史趣，有论趣，有古趣，有今趣。知识性可比周作人，但不像周作人那样爱抄书，所有的史实、知识、人物都融入他清雅澄明的文字。”蓝老说：“郑培凯的散文很有味，今天如果他在座，一定会给我们讲述许多酒的故事，茶的故事。”我说：“他已是茶专家了，文章除了茶味之外还有许多酒味。他的散文经纬度，恐怕是中国当代散文家首屈一指。从经度上说，他的散文可说是中国文明和世界文明的历史演义，从黄帝大战蚩尤到陈寅恪有个间谍弟弟（爱国间谍），什么都写，他好像什么都知道。从纬度上说，他从大陆（山东人）到台湾（台大外文系毕业），又从台湾到美国（在纽约佩斯大学当教授），再从美国到香港，东西穿梭，见多识广。”蓝老补充说：“经度也可以说是读书多，特别是古书读得多；纬度也可以说，走路多，行万里。古今中外全收入眼底笔下。”我立即给蓝老作注：“正是，他到美国深造，在美国教书，英文很好，但他偏偏对中国文化爱得要命。无论是中国的雅文化，还是中国的俗文化，他都一往情深。凡是方块字文章，他都投以一片痴情，难怪他能当一个很出色的中国文化中心主任。”

蓝老问：“当中心主任不是很忙吗？他怎么还能写出这么多？”我答道：“不是一般的忙，是忙得焦头烂额，我每次看到他脸色苍黄，都生不忍之心。不过，娶了鄢秀以后，脸色好多了。”蓝老熟读培凯。我本想告诉蓝老，培凯和我一样，总是“黎明即起”，散文写得多，但每篇都是呕心沥血的产物，但因席间还有许多话题，就止于培凯的“气色好多了”。

南方朋友中，有两个被我称作“三好友人”的。一个是林曙光，一个就是郑培凯。三好是指“学问做得好，当官当得好，做人做得好”。我的朋友不少，但多数属纯粹的学者，从未当过官，他们都够不上“三好”。而培凯则是香港城市大学中国文化中心的主任，算是一个官员。然而，他这个“官”当得真好。他当主任时，几乎网罗天下人文科学的饱学之士，仅仅我在城市大学期间（1999–2002），就见到他请来的李泽厚、庞朴、张广达、李零、葛剑雄、唐振常、叶朗、李欧梵、许倬云、龙应台、何芳川、何兆武、叶秀山、温儒敏、杜道斌等一代英杰。我常对朋友开玩笑说，我在香港，见到了两位“宋江”，一位是《明报月刊》主编潘耀明，一位是城市大学的郑培凯，他们招兵买马，招募天下英雄豪杰。韩少功听我一说，补充道：“你是柴进。柴进也进入宋江的门下，不过他本身也被称作‘大官人’。”要当好文化界的官员，第一条件恐怕是爱惜人才。郑培凯的极度忙碌，除了必须讲课、写文章、处理日常杂务之外，还必须为请来的各路“好汉”服务。而受其服务的好汉们，没有一个不说培凯的好话。我的“神瑛侍者”名单，也有培凯兄。

说他“学问做得好”，并不是说他会写高头讲章，而是指他的散文中充满学问。他的散文有一种底蕴，这是“学问”所赐。学问有两条路，一路是寻找“孤本秘笈”；另一路是在人们熟知的知识材料中“点石成金”。培凯两路皆通。他的长处虽不在于“点石成金”，但也点穿补正许多“人云亦云”的说法。如他写蔡元培的辞职，说请辞并非对政府抗议，而是无法容忍教职员“好吃懒做”。其“相容并包”并非没有原则。培凯善用古籍，却不刻意追求“孤本秘笈”，而是在广泛阅读中，自然地发现一些“奇书奇闻”，并作出自己很有见地的判断。如文徵明其人其名，我们都熟知熟悉，而培凯所写的《文徵明与城市山林》《文徵明的祖父》《文徵明祖先是赘婿》《文洪的诗》《归得园二十八咏》《文徵明的父亲》《文林的宦途》《文徵明九次落第》《欲读已茫然》《桃园问津图》《停云馆》等有关文徵明的文字，却让人信服他的读书功夫，考证功夫，钩沉探佚功夫。可见学问并不一定要作长篇大论，构筑体系，培凯在书海的游览中所写的这十一篇文徵明，谁能不称赞其学问功夫呢？

也许有人会误解，以为培凯只会讲述古人故事、逸事、趣事，其实不然。培凯在故事的讲述中，常有一些尖锐但又委婉、含蓄的批评，这种批评是思想，是见识，但“怨而不怒”，温柔敦厚，锋芒均蕴藏于学问知识之中，这也许可以称作培凯的“春秋笔法”。如他对马一浮、冯友兰的批评，就属于这种笔法。马先生强调六经强调得过分失度，说“六艺之教可以统摄一切学术”，这显然言过其实，神化六经。对此，培凯缓缓质疑道：

马一浮强调六经是一切学问的根本，曾提出“六艺之教可以统摄一切学术”，企图重新确立民族学术的信心，寻回文化认同的根基与自信：“六艺不惟统摄中土一切学术，亦可统摄现在西来一切学术。举其大概言之，如自然科学可统于《易》，社会科学（或人文科学）可统于《春秋》。因《易》明天道，凡研究自然界一切现象者皆属之，《春秋》明人事，凡研究人类社会一切组织形态者皆属之。”

讲得简单直截，而且充满了自信，一派教主宗师讲道的口气，好像天下学问不过如此，一以贯之，六经而已。我总是觉得，这不像研讨学问，倒像耶稣释迦得道之后，“一览众山小”，是在传教。信众当然可以再做发挥，如相对论与量子力学出自《易经》，一切人文社会科学的认知与阐释都出自《春秋》。甚至还可以说维柯的《新科学》也是儒学的支裔，因为马先生说过儒学有《易》与《春秋》之不同范畴，统摄天下学问。

只要你信，马一浮就是宗师。

我说培凯是“三好友人”，还有一好是“做人做得好”，这就要谈谈自己的感受了。

我是一九九九年夏天受张信刚校长、黄玉山副校长的邀请到香港城市大学的。头半年在中文系（中文、翻译及语言学系），结束之后，便受郑培凯的邀请，到他主持的中国文化中心工作将近两年。培凯给中心作了规定，讲课的题目可自己选定，但要讲述五四之前的古代文化，不涉五四之后的现代文化。我本是研究现当代文学，这一规定便逼我作专业转向。幸而那时我和李泽厚先生合著的《告别革命》已出版，而且声明我们将“返回古典”，不再理会“从现代到后现代”的思维路向了。因此，我便趁此机会，在中心开讲“红楼梦悟”与“双典批判——对《水浒传》和《三国演义》的文化批判”。此外，还讲述了“中国贵族文学”“中国流亡文学”“中国隐逸文学”“中国颂歌文学”“中国挽歌文学”等。大约一个星期讲一次，比较轻松。二〇〇〇年春，我看到秋季的课程表，把我的课程增加了（一个月增加了两节）。我立即到中心办公室找培凯。他的秘书告诉我，刚走了半小时，现在可能在机场，您直接打电话和他商量吧。于是我立即打电话找到他，说不同意给我加课程。他用很和蔼的口气告诉我：原想给你增加一点课时也增加一点工资，你既然不愿意就按原来的课时讲吧。

最让我感动也是最让我不安的是二〇〇五年我第四次到香港城市大学的时候，陕西师范大学邀请我去作学术演讲。我从未到过古都西安，这回真想跨越长江黄河到西北一趟，便答应了。培凯得知此事后立即说："我陪你去。你自己去我不放心。"培凯也去，自然是方便多了。我可再一次享受到如在北京的"待遇"，买机票，办手续，一切都由他的秘书帮忙。到了西安后，我首先想到韩城去拜谒司马迁墓，然后再去观赏兵马俑、大雁塔等。培凯全尊重我的意愿，真的是一路顺风。没想到，他在"陪我"参观"碑林"时却出事了。他在一座小亭子的台阶前突然滑倒，整个人扑倒在地。这一倒地，惊动了周围的参观客，他们都围拢过来扶持。我在他身旁，急得冒出冷汗，完全处于惊恐之中。我知道他已年近六十，如果摔断筋骨，那就麻烦了。于是急忙问他有无伤痛？他知道我的心情，很快就爬起来，装着一点事也没有。那一瞬间，我想到：为了陪我，竟摔了一跤，万一出事，我真的罪大恶极了！我说“他装着一点事也没有”，不是胡说，他回香港后拍片检查，果然受了伤，虽未损折骨头，但隐隐痛了几个月。他是个好人，宁肯自己承受全部疼痛，也不让朋友分担。此次经历，我更了解培凯了。二〇〇六年冬季，我从台湾东海大学返回香港，头一件事就到城大去看他。此次他送给我一幅字。他的书法真美，如同他的散文，其“美”并未被社会充分发现。

说培凯做人做得好，今天只讲自己经历的一件事。不过，自身的经历与体验最可靠。我不知道培凯兄在大西北为我摔跌的那一跤，有没有后遗症？此时此刻我在北美的落基山下想念他，衷心问候他，但愿他能完全康复，身体也能像他的散文一样坚实，任岁月颠簸也照样韧长。

二〇一六年五月十八日

科罗拉多

目 录

孔子骂宰我

孔子的弟子有三千人，是个粗泛的说法，包括了一切与他接触过的学生，或是听过教导的人。真要说到跟随孔子学习六艺，传承孔子的学问，发扬孔子学说，可以称为“受业身通”弟子的，只有七十多人。到底是七十几，历代典籍众说纷纭，从来也说不清楚。《史记·仲尼弟子列传》说：“受业身通者，七十有七人，皆异能之士也。”《孔子世家》《水经注》《颜氏家训》等书，都说是七十二人。《孟子》《吕氏春秋》《淮南子》《汉书·艺文志序》则泛称作七十人。且不管到底是七十几个弟子，跟随过孔子，亲炙过孔子的耳提面命，《论语》之中倒是有明确记载，有十个出类拔萃的学生，他们是“德行：颜渊、闵子骞、冉伯牛、仲弓；言语：宰我、子贡；政事：冉有、季路；文学：子游、子夏”（《论语·先进》)。应该说，这十个人是孔子的大弟子，十大护法，发扬光大老师的思想学说，推展孔子重新构筑的儒家思想体系，有着莫大的功劳。

然而，在我们的心目中，宰我好像是个坏学生，经常挨孔子的骂，像是个不务正业的捣蛋分子，怎么又身列十大弟子之一呢?

我们印象中最突出的宰我，是白天睡大觉、不好好用功读书的宰我。《论语·公冶长》是这样记载的:“宰予（宰我的本名）昼寝。子曰:‘朽木不可雕也，粪土之墙不可圬也。于予与何诛?’子曰:‘始吾于人也，听其言而信其行;今吾于人也，听其言而观其行。于予与改是。’”宰我睡大觉，挨了孔子一阵痛骂，说他是朽木不可雕，又说他是粪土垃圾垒成的土壁，质地粗鄙低劣，根本无法粉刷成光洁墙壁。甚至说，像宰我这样的人，还有什么好批评的呢?表示完全失望，根本不值得批评教导，随他去算了。由宰我睡大觉，孔子发出绝望式的批评，还延伸到对人的观察与信任，说他以前相信人家讲的话，以为言而有信，现在不随便相信了，听了人家的话，还要观察实际的行为，看看是否言行合一。会发生这样的改变，都是因为宰我这混账东西。老人家说得痛心疾首，真生气了。

关于宰我白天睡觉，为什么会使得孔子痛心疾首，大发议论，古代学者有过不少猜测。首先，我们要了解，古代是农业社会，日出而作，日入而息，尤其是在两千五百年前的春秋时代，读书学习也不大可能点灯费蜡开夜车。所以，白天午休睡大觉，会被视为学习怠惰。宰我白天睡大觉，是该骂。但是，让历代儒家学者不断猜测的主要原因是，宰我是登堂入室的大弟子，怎么会怠惰呢？假如他这么不成器，怎么会在《论语》中列为十大弟子之一呢？就算是他偶有失察，前一天夜里失眠，第二天精神不济，睡了个午觉，以仁爱为本、诲人不倦的孔子，怎么会大发脾气，说出如此不留情面的詈骂之词呢？想来想去，这里有花样，不是表面现象那么简单。

南朝的儒学学者皇侃（488–545）就说，有人指出，这是宰我使的一招苦肉计，故意让孔子骂他，以自己作为反面教材，提醒后学的师弟们，千万不要怠惰。皇侃在他的《论语义疏》中，引了慧琳和尚的说法：“宰予见时后学之徒，将有懈废之心生，故假昼寝以发夫子切磋之教，所谓互为影响者也。”还引了另一位儒家学者范宁的话：“夫宰我者，升堂四科之流也，岂不免乎昼寝之咎，以贻朽粪之讥乎？时无师徒共明劝诱之教，故托夫弊迹以为发起也。”这样说来，宰我真是牺牲小我，完成大我，不惜以自身作饵，引来老师劈头一顿臭骂，使得同学知道应该勤奋向学，天天学习，好好向上。对于宰我故意扮演反面教材的解释，邢昺的《论语注疏》说：“宰我处四科，而孔子深责者，托之以设教，卑宰我，非实惰学之人也。”戴望的《论语戴氏注》也说：“宰我伤道不行，故假昼寝以自晦其明。”都认为宰我昼寝是假，是故意制造一个事端，好让孔子教训一番，提醒其他的后生小子，好像宰我为了推行夫子之道，不惜在众人眼中成为唾骂的箭靶。

古代学者宅心忠厚，总觉得宰我是十大弟子之一，是孔子的好学生，即使是白天打瞌睡，也不至于受到孔子的深责，其中必有暗藏的道理，所以也就绞尽脑汁，为宰我昼寝找个类似“舍身饲虎”的理由。不过，我们也要记得，宰我昼寝是事实，孔子也不是老虎。孔子骂宰我，看来也不只是骂他昼寝，而是另有深意，指责的是宰我的言行不一，平常能说会道，口舌便捷，在言语思辨方面出类拔萃，但是，在德行方面还需要加紧努力。这也是为什么孔子会抓着一个昼寝不放，从午休问题一直讲到“听其言而观其行”，给了宰我一个极其严厉的教训。明末的张岱是个会读书的人，他的《四书遇》就看到这一点，知道孔子是借题发挥，藉着批评昼寝来指责宰我性格中的缺陷：“此儆宰我耳。不要说春秋世界，俱是言行不相顾者，如此，则以宰我一人，波及一世矣。且语各有自，需要得其言下之旨。”他还说：“昼寝罪小，遭此痛责，此是宰我自取之也。若是颜子昼寝，蔬水曲肱，差契斯语矣。”要是德行昭著的颜渊也昼寝，那就是因为天天吃些清汤寡水的蔬菜，情况应该会有所不同。

近代学者或许是比较能够慎思明辨，对孔子十大弟子的崇敬有所减弱，都认为宰我昼寝就是怠惰，而且相信孔子是借题发挥，指东打西，打蛇就打七寸上，痛骂的不是白天睡觉，而是宰我的言行不一。康有为《论语注》说："宰予能言，而行不逮，故孔子自言，于予之事而改观人之法，所以深警群弟子之谨言敏行也。昼寝小过，而圣人深责如此，可见圣门教规之严。《易》贵自强不息，盖昏沉为神明之大害，故圣人尤以垂戒也。"李泽厚在《论语新读》中，完全同意康有为的讲法，而且特别做了大段征引，并由此引申，说明为什么孔子痛骂宰我之后，还能继续宽容地教导他，使他成为十大弟子之一："看来，宰我是个聪明而不够勤奋、有才华而不重修养的学生，多次受到孔子的严厉责备。但孔子不但宽容收留他，而且还盛赞过他。不拘一格识人才，才可能是导师或领袖。"李泽厚更进一步发挥，藉着宰予昼寝挨骂，说到儒家强调勤奋，对中华民族的繁衍生息带来极大的正面影响："儒学一贯强调勤奋，坚决反对懒惰，《论语》中还屡有对'饱食终日，无所用心'等等的斥责，直到康有为仍把'禁懒惰'作为'大同世界''四大禁'之一。对生活、人生采取积极、进取、奋斗不息的精神，已成为某种深层的文化心理结构，这正是使中华民族饱经困苦而能长期生存的重要原因，也是千万华侨在各地艰难创业、获有成就的文化因素，尽管他们并不一定意识到儒学或孔子。”

李零写了本《丧家狗：我读〈论语〉》，惹起一些儒学信徒的不满，但是书中引了不少古代典籍及简帛资料来印证经说，却有相当的价值，值得一读。书中讨论宰予昼寝一章，引用上博楚简，说到鲁庄公听谏，“不昼寝，不饮酒，不听乐，居不设席，食不二味”，勤奋听政。可以看出，“不昼寝”在先秦时期，是勤奋的表现。至于宰予昼寝，会使得孔夫子如此气愤，李零做了一个推测，虽然没有确凿的证据，却能以备一说：“孔子骂宰予，主要原因，还不是他白天睡觉，而是他言行不一，说话不算话。‘始吾于人也，听其言而信其行；今吾于人也，听其言而观其行’，他是从宰予昼寝这件事才改变看法，不看他说什么，只看他干什么。宰予能说会道，我猜，他在孔子面前发过誓，一定夙夜不懈，勤勉于事，孔子高兴，信以为真，没想到，让他逮个正着，大白天睡觉，所以气不打一处来。战国秦汉，有段话很流行，据说出自孔子，‘以容取人，失之子羽；以言取人，失之宰予’，很多古书都提到。孔子的意思是，子羽虽然长得丑，但人很规矩，以貌取人，是错误；宰予会说话，但并不守信，以言取人，也是错误。”

因此，孔子骂宰我，大概是真的生气，不只是气他白天睡大觉，而是气他自恃聪明，言行不一。同时也反映了孔子是个有度量的好老师，温良恭俭让，骂了学生之后，还是尽心教导，循循善诱，造就了宰我，得以名列十大弟子之中。

重读《史记》

一、读《项羽本纪》

浙江大学的同学组织了读经班，经常举办经典会读，只要有学者来讲学，就邀请来领读经典。说起读经班，就不禁想到我在台湾读大学时，那是二十世纪六十年代，同学也组织读经班，读的是基督教的《圣经》，有些工学院的同学十分热衷，说参加读经的女生不但漂亮时髦，而且性格贤淑，适合当贤妻良母的。一来一去，也的确成就了不少姻缘。不过，浙江大学的读经班，读的却不是西方的《圣经》，而是儒家经典，《四书》《五经》之类，不晓得是否聆听了男女授受不亲的古训，也能超越古代礼教的藩篱，与时俱进。

同学要我选题，决定这次会读的经典。我想让他们读点有趣的材料，扩大眼界，多了解古代历史的现实，也看看司马迁文章的磅礴气势，就选了《史记》中的《项羽本纪》。同学们经过讨论，觉得《史记》不是正宗儒家经典，《项羽本纪》篇幅又太长，一个早上读不完，问我可不可以换成《礼记》的《礼运》篇？我说还是读读《史记》吧，我们在台大读书时，老校长傅斯年就规定，大一国文就是《史记》，要整整读一个学期呢。会读《项羽本纪》全篇，时间是稍微长了一点，我们就选读，跳过一些章节，集中在项羽出身背景、巨鹿之战、鸿门宴、垓下之战这些精彩段落，以窥司马迁究竟是如何书写历史，我们应该如何读史，以及如何去想象与相信历史。

《项羽本纪》一开头，交代项羽的出身，乍看似乎枯燥，像流水账，说“项籍者，下相人也，字羽。初起时，年二十四。其季父项梁，梁父即楚将项燕，为秦将王翦所戮者也。项氏世世为楚将，封于项，故姓项氏”。仔细读读，你就会发现，事实交代得清清楚楚，条理分明，没有一句废话，而且设下许多伏笔，读到后面就会一一醒悟，原来这段

欽定四庫全書

史記集解卷七

宋 裴駰 撰

史記七

項羽本紀第七

項籍者下相人也地理志臨淮有下相縣字羽初起時年二十四其季父項梁梁父即楚將項燕為秦將王翦所戮者也始皇本紀云項燕自殺項氏世世為楚將封於項故姓項氏項籍

少時學書不成去學劍又不成項梁怒之籍曰書足以記名姓而已劍一人敵不足學學萬人敵於是項梁乃教籍兵法籍大喜略知其意又不肯竟學項梁嘗有櫟陽逮捕乃請蘄蘇林曰蘄音機縣屬沛國獄掾曹咎書抵櫟陽獄掾司馬欣以故事得已應劭曰項梁曾坐事傳繫櫟陽獄從蘄獄掾曹咎取書與司馬欣抵歸已止也韋昭曰抵至也謂梁嘗被櫟陽縣逮捕梁乃請蘄獄掾曹咎書至櫟陽獄掾司馬欣事故得止息也項梁殺人與籍避仇於吳中吳中賢士大夫皆出項梁下每吳中有大繇役及喪項梁常為主辦陰以兵法部勒

《史记集解·项羽本纪》，四库全书本

文字居然隐藏了这么多提示。

举个最不起眼的例子，比如，说项羽是下相人，也就是今天徐州（古称彭城）南边宿迁一带的人，战国时期属于楚国。点明了他的籍贯，做什么呢？与历史叙述与书写，即古人所谓的史家笔法，有什么关系呢？关系可大了。项羽以复兴楚国为志业，毕生奋战，多半是环绕着彭城这一带向外拓展。鸿门宴之后，引兵屠咸阳、杀子婴、焚烧秦宫室，“收其货宝妇女而东”，上哪里去呢？回到家乡彭城建都去了，自封西楚霸王。有人劝他，关中地势险要，土地肥沃，是建都的好地方，项羽是怎么回答的？他说：“富贵不归故乡，如衣绣夜行，谁知之者？”劝说他的人，不禁感叹项羽没有大志，是“沐猴而冠”，传到项羽耳里，居然遭到烹杀的下场。凌稚隆的《史记评林》就批评项羽：“从来无统一天下之志。既灭咸阳，而都彭城；既复彭城，而割荥阳；既割鸿沟，而思东归。殊欲按兵休甲，宛然图伯（霸业）筹划耳。岂知高祖规模宏远，天下不归于一不止哉？”换作现代讲史的名嘴，在电视上开讲，恐怕就要抓住这一点，批评项羽的狭隘乡土意识，说他泥巴气太重，只想着徐州的“老婆儿子热炕头”，不能放眼天下，难成大事。

《项羽本纪》接着说，项羽造反起事的时候，“年二十四”。说这个年纪，除了点出他年轻，还有什么深意吗？当然有用意。项羽年少气盛，虽然武功盖世，可称万人敌，毕竟人生历验有限。他在巨鹿一战，带领楚军，破釜沉舟，大破秦军，扬名立万的时候，不过二十五岁上下。在鸿门摆宴，刘邦前来谢罪之时，也才二十六岁，已是雄霸天下，不可一世了。泷川资言在他的《史记会注考证》中特别指出：“项羽楚人，既失其祖，又失其季父，怨秦入骨。其入咸阳，犹伍子胥入郢，杀王屠民烧宫殿以快其心者，谓之无深谋远虑可也，谓之残虐非道者，未解重瞳子（项羽）心事。又，此时沛公（刘邦）年已五十，思虑既熟；项羽年二十加六，血气方刚。彼接物周匝缜密，不敢妄动；此当事真挚勇决，任意径行，是二人成败之所以分也。”我们还会读到，项羽垓下兵败，自刎乌江的时候，年纪才三十一岁。算起来，从他跟着叔叔项梁起兵，纵横天下，指挥群伦，到兵败身死，也不过七年时间，真是来似流星去如陨石，照亮了群雄争霸的长空，在后代的历史想象中留下了无尽的感怀。李清照有诗《项羽》："生当作人杰，死亦为鬼雄。至今思项羽，不肯过江东。"他活得轰轰烈烈，如烈日当空，却突然乌云密布，遮天盖日，雷电交加，风狂雨暴，中道崩殂。明明已经雄霸天下，却糊里糊涂向着死亡的深渊奋进，难怪留给后人无限感叹。

泷川说到项羽"既失其祖，又失其季父，怨秦入骨"，在《项羽本纪》开头，就表述得很清楚，而且还强调了项氏世代为楚将，并有封地。透露出的消息就是，项羽对楚国感情深厚，对秦朝怀有深仇大恨，其来有自。不过，我对于泷川的解释，说项羽因为国仇家恨而怨恨秦朝，所以屠城咸阳，烧毁宫殿，只能算是"无深谋远虑"，不能称之"残虐非道"，却不敢苟同。我们看看项羽的事迹，就会发现，项羽杀人如麻，根本不拿人命当回事，其残虐绝不下于秦王，而且还亲力亲为，杀得来劲。他跟项梁起事之初，就先杀会稽守，又击杀数十百人，之后趁势招募了八千江东子弟兵。

他进攻襄城，襄城坚守不下，等到攻下时，就“皆坑之”。项梁派刘邦和项羽去攻打城阳，又屠城。项梁死后，宋义拜为上将军，项羽不服，就在军营中斩了宋义的头，夺取军权。之后秦军大将章邯来降，项羽觉得秦国降兵不服，“夜击坑秦卒二十余万人”。鸿门宴后，“项羽引兵西屠咸阳，杀秦降王子婴”，之后又派人杀楚怀王。可以看出，项羽行兵，一向是恣意胡为，不是斩杀，就是屠城，残暴无比。杨维桢就说过：“孟子云，‘为天下驱民者，桀与纣也。’籍亦为汉驱者耳，其能与汉争天下哉？迹其骠悍滑贼之性，嗜杀如嗜食……此真天下之桀也。项欲举大事，霸西楚，其可得乎？”杨维桢点出项羽性格中的横暴，视人命如草芥，是天生的杀人魔王，“嗜杀如嗜食”，像流着馋涎的鳄鱼，凶恶无比，点到了关键要害，比泷川看得深刻。

《项羽本纪》接着叙述项羽的少年时期，描绘出身将门的性格与脾气，也极为生动：“项籍少时，学书不成，去，学剑，又不成。项梁怒之。籍曰，‘书，足以记名姓而已；剑，一人敌，不足学；学万人敌。’于是项梁乃教籍兵法，籍大喜，略知其意，又不肯竟学。”虽然写的是少年时期，但是显露了项羽学任何事情都不彻底，全凭匹夫之勇，意气用事。不过，项羽也因其粗豪直率，不像刘邦那样机谋诡诈而引人同情。即使司马迁在全篇的结尾，以史家客观论断批评项羽，“自矜功伐，奋其私智而不师古”，却也花了无限笔墨，极力刻画项羽的英雄个性，让我们看到一个青年豪杰好汉的身影，挥舞着剑戟戈矛，叱咤在江海之间，有时“言语呕呕”，有时“喑恶叱咤”，有时“恭敬慈爱”，有时“骠悍滑贼”，有时“爱人礼士”，有时“妒贤嫉能”，似乎一切都恣意率性，像丛莽中的狮子，只管眼前，不顾后果。

钱锺书在《管锥编》中称赞司马迁的文章，特别举出项羽形象的刻画，错综复杂，充满了人格内在的矛盾，“皆若相反相违，而既具在羽一人之身，有似两手分书，一喉异曲，则又莫不同条共贯”。我倒是觉得，钱锺书以文体的角度分析项羽性格，恐怕有点深文周纳了。换一个角度，以历史文化脉络的文野之分来观察，就会发现，项羽生活在战国时代，特别是出身于世世代代以杀人为职业的将门之家，他的性格比较粗豪野蛮而原始，其真率之处也像猛兽一样，捕猎时不惜孤注一掷，扑杀猎物杀红了眼而不止，休息时则舐犊情深，对身边亲近的随从将士十分慈爱。刘邦的处境与经历则大不相同，在文明社会的污泥中打过滚，“文明”得成了精，很明白人际关系复杂，深谙世道险恶，懂得如何利用人的欲望，调动人们趋势趋利的积极性。在司马迁的笔下，楚汉相争的两造领袖形成了鲜明的对比，让一场历史上你死我活的斗争，充满了人物性格的展示与演绎。

项羽身兼残暴与慈爱的性格，其实不难理解，因为他的爱憎有清楚的对象。对自己圈内人，“言语呕呕”“恭敬慈爱”“爱人礼士”；对圈外人，则“喑恶叱咤”“骠悍滑贼”“妒贤嫉能”。套上今天熟悉的话语，就像雷锋说的，“对同志，要像春天般的温暖；对敌人，要像严冬般的冷酷无情”。看起来，党同伐异，内外有别，是古今相通的道理。只是如何辨别谁是同志、谁是敌人，在什么情况、什么场合来辨别，则是项羽面临的大难题。以刘邦、黥布、陈平为例，都曾是项羽的同志，怎么后来都变成敌人了呢？鸿门宴上的刘邦，显然早已不是当初并肩作战的同志，那么，是不是敌人呢？项羽似乎想不清楚。在战场上叱咤风云的好汉，看到昔日的战友低声下气，前来谢罪，是否回忆起当年义结金兰，约为兄弟，一起抗击秦军，还一起屠过城，曾经是披肝沥血的好同志？也不知道项羽“学书不成”，是否读过《诗经》，想到了《秦风·无衣》：“岂曰无衣？与子同袍。王于兴师，修我戈矛。与子同仇！岂曰无衣？与子同泽。王于兴师，修我矛戟。与子偕作！岂曰无衣？与子同裳。王于兴师，修我甲兵。与子偕行！”总之，同袍兄弟一场，杀人不过头点地，算了算了，放他一马吧。

同学们细读《项羽本纪》，对司马迁史笔纵横，文章收发自如，印象深刻，佩服得五体投地。司马迁的历史书写，一方面简洁精准，要言不烦，另方面则想象富赡瑰丽，巨细靡遗。叙述巨鹿之战，是侧写，描绘战事惨烈的文字不多，只说项羽引兵渡河，沉船破釜，大破秦军之际，其他救赵的诸侯军都不敢出兵，作壁上观。“楚战士无不一以当十，楚兵呼声动天，诸侯军无不人人惴恐。”写得最精彩、令人读后难忘的，是大破秦军之后，项羽召见诸侯将领，这些将军们表现得畏葸不堪：“入辕门，无不膝行而前，莫敢仰视。”大笔如椽，几乎棒杀了这群不敢奔赴战场的将领，反衬出项羽高大的英雄形象，也顺势说明了项羽自此“始为诸侯上将军，诸侯皆属焉”。

司马迁的文笔实在太过精彩，使得项羽如狮如虎的英雄形象跃然纸上，给后世留下难以磨灭的印象。虽然从理智上都知道项羽难成大事，却又为之扼腕叹息。钱穆就说：“项王可爱处，实多于沛公。此又见中国史取人之宏与其教人之深，而迁书此等处，遂成千古妙文。”还说项羽垓下兵败，临死之慷慨，“此情此义亦可长留天地间，获后世之同情矣”（《现代中国学术论衡》）。这的确是值得玩味的论断，也是大多数中国人心目中给予项羽的定位，看看近代京剧《霸王别姬》的广泛流传影响，以及一般讲史所持的论调，就可得知，项羽的残暴杀戮，似乎不太重要，就像一片淡淡的云朵，可以从后世的历史记忆中，挥一挥衣袖，轻松地，潇洒地，抹去了。

会读了一上午《项羽本纪》，细读了项羽起家的背景、巨鹿之战、鸿门宴、垓下之战，同学们才发现，《史记》是这么有趣的读物，比当前的畅销小说好看多了。我就跟他们说，一个上午，只能点到为止，回去再读读《高祖本纪》《淮阴侯列传》，对比当事人各自的传记，会更有趣的。过了几天，同学们电邮寄来读后感，似乎读史得了窍门，像古代学者一样，写起史论来了。我这里罗列几条：

甲说："历史看似一桩巧合，实则蕴藏着种种机缘与线索，当事人匆匆而过，留予后人慢慢揣度。刘邦和项羽，一个诡计重重随机应变的开国皇帝，一个英雄主义浪漫情结的盖世将军；在狭窄的时空中相逢，一个斗智，一个斗勇；一个性格急躁不讲计谋，一个深思熟虑能听劝诫；一个对制度了如指掌，左右逢源，一个在制度外称王称霸，自刎江东。在司马迁'抑刘扬项'的春秋笔法中，后世文人墨客都纷纷称赞项羽的真英雄与刘邦的伪君子……后世对于项羽的褒扬，一定程度上源于对失败者的同情，也有自古以来英雄主义真性情的沿袭使然，忽略了项羽性格中暴戾残忍的一面，忽略了屠城坑埋的历史事实……历史的出人意料，就在必然的逻辑推理中呈现，读历史即是读其背后的人性和经历，是读一个民族曾经精神的源头。这次经典会读，读《史记·项羽本纪》，让我感受到《史记》的伟大之处，在于其中体现的道德规约和精神内核。藉以作为今日世界和明日世界的一面明镜，明得失、知兴替。”

乙说：“有人把《史记》当成小说来读，有人把《史记》当成文选来读，有人把《史记》当成史书来读。读《史记》，究竟是为了聆听一个引人入胜的故事，还是为了考证一段事迹的真实？此次会读给我最深的一个感受是，带着不同的心态去读书，自会得到不同的体悟。……项羽最终失败的结局，早就植根于其固有的性格弱点之中，以这样的观点来看《项羽本纪》，顿觉一以贯之、首尾相通，看似或偶然或巧合的背后，自有一架推动历史转动的精确齿轮，而读史的人若能触摸到齿轮的咬合，就不难推测出历史的时针会走向哪个方向了。”

丙说："整体来说，这次会读的效果大大超过了我的想象，这种感觉真好。郑老师讲到项梁就是教父，也让我把两种不同风格的文学作品联系起来，发现有很多启发。另外，我突然发觉到，项羽和项梁的用兵，偏兵形势家，缺少兵权谋家和兵阴阳家的内容（这部分更多地在于陈平、张良、范增）。我们发现宋义的智慧偏纵横家，但并不知兵。而且秦朝对六国旧势力的消化，也并不成功。这一切都很有趣。"

和年轻人一同读《史记》，一段一段研讨，听他们提出新鲜的看法，也让我觉得十分有趣。

二、刘邦这个人

英明伟大的无赖

刘邦这个人，花样很多，我们从小听故事就知道。要不然，他怎么能打败"力拔山兮气盖世"的楚霸王项羽呢？听的故事里，最让人难忘的，是项羽抓了刘邦的父亲，要刘邦投降，不投降就把刘太公烹了。刘邦的反应，出乎常人意料不说，还有一番匪夷所思的逻辑：我们俩是结拜兄弟，我的爹就是你的爹，你烹煮你的爹，别忘了分我一杯羹。老天，项羽要烹煮刘太公了，他却慢条斯理，说出一番我爹就是你爹的道理，还提出要求，像点一客鸡煲翅一样，要分一杯羹。我们小时候就知道，刘邦这个人，坏啊，虎毒不食子，刘邦却可以让人烹老爹，还要分一杯羹。当然也知道他厉害，谲诈百出，像赌徒一般无赖，把项羽也扯上谋杀义父、忤逆不道的罪名，变成十恶不赦的坏蛋，弄到项羽无计可施，只好把太公带回去，好好奉养着。

说刘邦花样多，诡谲多诈，恐怕还没看到刘邦厉害的核心。古人读史，多有慧见，有时鞭辟入里，让人憬然心寒。洪亮吉论刘邦分一杯羹，就说项羽技穷："烹则烹矣，必高其俎而置之，无非欲愚弄汉王，冀得讲解耳。汉王深恶其计，矫情漫语。分羹一言，虽因料敌太清，然逞才太过，未免贻口实于来世。"是说，项羽真是要烹煮太公，烹了就算了，何必把太公抬出来，高高亮相？刘邦是个厉害家伙，一眼就看穿了项羽，其实是无计可施，只能出此下下策，因此，也就故意摆个姿态，杀个回马枪，戳穿项羽的伎俩。不过，刘邦智计太高，逞才太过，也就难免留下口实给后代，让人觉得刘邦狠毒，居然要分一杯羹尝尝。按照洪亮吉的解说，则刘邦的智计，简直就超过了诸葛亮，才是真正的“指挥若定失萧曹”。

刘邦的父母妻子会落在项羽手中，是因为楚汉相争之时，刘邦趁项羽北上讨伐齐地，率领诸侯兵五十六万东征，一直攻入项羽的老窝彭城（今徐州）。进了彭城之后，刘邦被胜利冲昏了头，“收其货宝美人，日置酒高会”。就在他忘其所以之际，项羽突然带着三万精兵，杀回彭城，大破汉军。《史记·项羽本纪》说，楚军追杀汉军，杀了十多万人，直到睢水之上。“汉军却，为楚军所挤，多杀，汉卒十余万人皆入睢水，睢水为之不流。”杀得天昏地暗，刘邦只带了身边数十骑逃走，经过沛县，发现家人也走散了。逃亡之中，路遇一对儿女，也就是后来的汉惠帝与鲁元公主，父亲与妻子却落入楚军手中。

乾隆皇帝对刘邦败绩逃亡的前因后果，有相当严厉的批评，说他占领彭城，满脑子金银财宝、醇酒美人，置自己家人于不顾：“彭城去沛不过二百里，汉王既入，即当迎取太公，乃亟亟于货宝美人，置酒高会，此与项羽入秦何异？卒至室家俱亡，几陷其亲于鼎俎，分羹之语虽出于权变，实非君子所忍闻也。”乾隆爷也是个厉害人物，很清楚刘邦说的分一杯羹是“出于权变”，只不过实在不好听，让人觉得这个开国皇帝不顾身份，不像个垂拱而治的彬彬君子。要是刘邦听到乾隆的批评，大概也只是一笑置之，因为他本来就是个彻头彻尾的无赖。他年轻时就是个混混，后来当了皇帝，混混心态不减，在一统天下，建成未央宫，大宴诸侯群臣之时，捧了玉杯为太公祝寿，居然说的是：“老爹，你以前总说我是个无赖，不能治理产业，不如二哥努力。今天你看看，我治理的产业跟二哥比比，到底是谁多？”

回头再来看看刘邦兵败逃命，路遇自己儿女的情况。《史记·项羽本纪》说：“汉王道逢得孝惠（儿）、鲁元（女），乃载行。楚骑追汉王，汉王急，推堕孝惠、鲁元车下，滕公（夏侯婴）常下收载之，如是者三，曰，虽急不可以驱，奈何弃之？于是遂得脱。”刘邦的两个儿女，这时儿子六岁，女儿十四岁，为了自己赶紧逃命，把一双儿女推下车去，一而再，再而三，普通人大概做不出来吧？为刘邦赶车的夏侯婴，因为做过滕县令，所以称为滕公，实在看不下去，就接二连三，下车去收载这两个孩子。夏侯婴下车救孩子，惹得刘邦十分生气，在《史记·樊郦滕灌列传》中是这么记载的：“汉王急，马罢（疲），虏在后，常蹶两儿，欲弃之。婴常收，竟载之，徐行，面雍树乃驰。汉王怒，行欲斩婴者十余。”刘邦嫌两个孩子累赘，再三抛弃，夏侯婴却总是停车收载，把刘邦气坏了，多次要杀了夏侯婴。

这段叙述中的“面雍树乃驰”不好懂，得解释一下。《史记集解》说：“服虔曰，高祖欲斩之，故婴围树走也。面，向树也。应劭曰，古者皆立乘。婴恐小儿坠，各置一面雍持之。树，立也。苏林曰，南阳人谓抱小儿为雍树。面者，大人以面首向临之，小儿抱大人颈，似悬树也。”这里有三种不同的解释：服虔认为汉王要杀夏侯婴，夏侯婴只好绕着树奔走逃命。这个说法不通，颠倒了先后次序，与夏侯婴救起两个孩子的情况不合。文章明明说了，救起两个孩子，驾车的夏侯婴先是“徐行”，然后是“面雍树”，之后是“乃驰”。应劭与苏林的说法虽有出入，大体上都说得通，就是，夏侯婴救起孩子，先是慢慢驾车，让孩子在车上抱着他，站稳了，才加速奔驰。如此安排，当然是放慢了速度，可能会让追兵赶上，也是汉王暴怒的真正原因，怕落入敌军手中，气得要杀夏侯婴。颜师古也说：“面，也。雍，抱持之。言取二儿，令面背己，而抱持之以驰。雍，读曰拥。”不过，日本学者中村积德另有一个说法：“雍，盖地名也。初仓皇奔逃，莫适往，望雍之树色，乃驰而趋之也。”泷川资言认为这个说法最中肯，我却觉得未免有点穿凿，不如应劭、苏林、颜师古的说法那么顺当，只能以备一说。

从这件事可以看出，刘邦在性命交关之际只顾自己，无情起来是真无情，连自己亲生儿女都可以不要。或许有人也可以“历史同情”一番，解说：留得青山在，不愁没柴烧，命是最要紧的，命都没了，将来如何再起？后来项羽的遭遇，不就是最鲜明的反面教材吗？因为丧尽八千江东子弟兵，无颜见江东父老，逼得乌江自刎，让刘邦竖子成名。换成刘邦，绝对不会自刎的，看他可以抛妻弃子，尝老父的一杯羹，就知道这个人是真厉害。就算你楚霸王是万人敌，三尺剑可以削平太行山，却也砍不到滑如泥鳅一般的无赖汉。楚汉相争，刘邦怎么输，到头来还是他赢，开国皇帝非他莫属。

当然，刘邦不只是个普通的无赖，他同时也智计超人，能屈能伸，还豁然大度，善纳人言，是个不世出的超级大无赖。当刘邦进军关中，人称“沛公”之时，郦食其听说刘邦是个“大人长者”，乃求见说沛公。刘邦的态度十分不礼貌，踞坐着不讲话，还有两女子在那里为他洗脚。《高祖本纪》说：“郦生不拜，长揖，曰：‘足下必欲诛无道秦，不宜踞见长者。’于是沛公起，摄衣谢之，延上坐。”一听到人家批评得有道理，话中有话，好像可以有利于自己的事业，马上就改了态度，不但表示了歉意，而且延请上座，待如贵宾。他对韩信也是如此，听了萧何的极力推荐，就拜韩信为大将。韩信登坛拜将之后，刘邦向他问计，韩信说的一段话，就跟后来诸葛亮的隆中对一样，洞烛先机，把天下大势与楚汉斗争的局面分析得十分透彻，同时也分析了项羽与刘邦的性格。韩信指出，项王“勇悍仁强”，非汉王能比，刘邦听了，默然良久，承认如此。韩信接着说：“项王喑恶叱咤，千人皆废，然不能任属贤将，此特匹夫之勇耳。项王见人恭敬慈爱，言语呕呕，人有疾病，涕泣分食饮；至使人有功当封爵者，印敝，忍不能予，此所谓妇人之仁也……项王所过无不残灭者，天下多怨，百姓不亲附，特劫于威强耳。名虽为霸，实失天下心。故曰其强易弱。今大王诚能反其道：任天下武勇，何所不诛！”刘邦很能接纳忠言，跟项羽反其道而行之，也可以看出，他有超乎常人的宏观视野与识人之明。

刘邦平定天下，置酒洛阳南宫，问诸侯大臣，为什么项羽失去天下，而他却可以得天下？《高祖本纪》写高起、王陵对曰：“陛下慢而侮人，项羽仁而爱人。然陛下使人攻城略地，所降下者因以予之，与天下同利也。项羽妒贤嫉能，有功者害之，贤者疑之，战胜而不予人功，得地而不予人利，此所以失天下也。”也就是说，就个人私下相处而言，刘邦这个人是个没礼貌的无赖，时常欺侮人，而项羽却对人很仁慈。不过，刘邦赏赐属下十分大方，攻城略地所得，都把好处分给属下（分一杯羹！）。项羽却十分小气，不管是封地还是封爵，所有战利所得，都舍不得与人分利。也就是韩信讲的，项羽的仁慈是妇人之仁，“至使人有功当封爵者，印敝，忍不能予”，应该封爵、赐给印信的，却舍不得放手，在手中磨来磨去，磨到印信都敝损了。所以，刘邦得天下，是人人有利，人人得利，利之所趋，人人乐而为之。

至此，刘邦的性格已经说得很清楚了，就是个彻头彻尾的无赖，是无往不胜的英明伟大的无赖，是无所畏惧的高瞻远瞩的无赖。

最后，我要说说刘邦的姓名。你知道刘邦姓什么？姓刘。没错，是姓刘。名字呢？名邦。错了。刘邦的名字不是“邦”。那么，是什么？不知道。

《史记·高祖本纪》一开头就说，“高祖，沛丰邑中阳里人，姓刘氏，字季。”

《史记索隐》按，《汉书》说，高祖“名邦，字季”，可是《史记》不说名，单单说字，亦又可疑。因此，《索隐》提出了一个说法：“汉高祖长兄名伯，次名仲，不见别名，则季亦是名也。”《索隐》为什么会提出这个说法？主要是怀疑《汉书》指名道姓，说汉高祖姓刘名邦。连司马迁都不知道汉高祖的名字，整本《史记》都说不清楚，过了一两百年后的班固，凭什么知道高祖名邦？乾隆时期的史学家梁玉绳在《史记志疑》中指出：“季乃是行，高祖长兄伯，次兄仲，亦行也。”也就是说，伯、仲、季，都是排行次序，不是名，也不是字。崔适说得更清楚：“刘氏兄弟三人，但以少长而称伯、仲、季，非名也。‘讳邦’者，后世史臣所拟耳。”所以，看来刘邦不叫刘邦，“邦”字可能是汉高祖安邦定国之后，汉代史臣（班固？）给他拟的学名。

刘邦原来不叫刘邦，那么，这个伟大的无赖，在历史上叱咤风云的时候，除了后来的称号“沛公”“汉王”之外，真正的名字是什么？我猜，人称“刘季”，也就是“刘老三”。

鸟尽弓藏杀韩信

刘老三出身寒微，和后世的朱元璋的经历相类似，都没有世业累积，却雄才大略，知人善任，最终得以打败强势的对手，统一天下。这些开国君主面临的时代环境虽然不同，性格则有相似之处，在受屈的关键时刻，从不逞强斗狠，愿意合作妥协，接受带有屈辱性的条件与安排。他们都深刻理解孟子所说的“天将降大任于斯人也，必先苦其心志，劳其筋骨，饿其体肤，空乏其身，行拂乱其所为，所以动心忍性，增益其所不能”。在生活实践中，流露出一种流氓无赖式的英雄本色，能屈能伸，高瞻远瞩，以退为进，吃一堑长一智。一旦占了上风，则言而无信，一切承诺都成了废纸一张，明修栈道，暗度陈仓，天翻地覆慨而慷，百万雄师过大江，卒能成就大业。

汉高祖平定天下，置酒洛阳南宫，大宴群臣的时候，曾经叫大家畅所欲言，说说自己成功而项羽失败的原因。群臣看到高祖心情不错，也就大胆放言，说了一通“陛下慢而侮人，项羽仁而爱人”的实情，却归结到项羽“妒贤嫉能”，又不懂得与人分利，而高祖则不同，采取人人得利，“有饭大家吃”的策略，所以得到众人拥戴，天下归心。高祖听了，龙心大悦，却要表示还是自己本事高明，懂得用人，而且懂得如何用人，是这么说的：“公知其一，未知其二。夫运筹策帷帐之中，决胜于千里之外，吾不如子房。镇国家，抚百姓，给馈饷，不绝粮道，吾不如萧何。连百万之军，战必胜，攻必取，吾不如韩信。此三者，皆人杰也，吾能用之，此吾所以取天下也。项羽有一范增而不能用，此其所以为我擒也。”高祖总结他胜利的经验，归功于三个“人杰”：出谋划策的张良、组织经营的萧何、攻城略地的韩信。

称赞归称赞，汉高祖用人，真的能够推心置腹，完全与项羽不同，不曾“妒贤嫉能”吗？非也，非也。刘季与项羽对人才的态度，在本质上都有“妒贤嫉能”的倾向，然而其间有很大的不同，有程度上的不同，也有时机上的不同。项羽直不笼统，自以为是，容不得别人强过自己；刘季则城府很深，能够审时度势，看到别人强过自己的时候，就想方设法，为己所用。在楚汉相争、逐鹿天下的时刻，项羽是叱咤疆场的盖世英雄，绝不相信天下还有超乎自己的能人。刘季则不然，知道天下能人辈出，夺取天下不仅靠的是一己的英雄蛮力，还得运筹帷幄，调动一切有利因素，才能达到最后的胜利。韩信是个军事天才，茅坤在《史记抄》里誉之为“兵仙”，说古代兵家之中，“当以韩信为最”。汉王听了萧何的建议，拜韩信为大将，是从利于夺取天下的角度考虑的；封韩信为齐王，是满怀怨恨的妥协，是不得已的举措，充满了嫉恨。用韩信，则可以打败项羽；不用韩信，则胜负难言。因此，一定要做出选贤与能、礼贤下士的姿态，满足韩信的要求，让他“分利”。一旦天下底定，汉高祖对待韩信的态度就发生了变化。

汉高祖取得最后胜利之后，因为嫉恨韩信的军事才能，怕他叛变，就接二连三，利用不同借口，变更封地，逐步剥夺了他的兵权，贬为形同软禁的淮阴侯。汉高祖曾经和韩信聊天，谈起诸将领兵作战的能力，就问韩信：“我能带多少兵？”韩信回答：“陛下不过能带十万军队。”汉高祖再问，“你呢？”对曰：“多多益善。”高祖不禁笑起来了：“你多多益善，怎么被我抓起来了呢?”韩信一听高祖的口气不对，知道自己越了界，矜夸己能，犯了大忌，赶紧回答：“陛下不能将兵，而善将将……且陛下所谓天授，非人力也。”我们无法知道韩信回答的声音，是强颜欢笑，还是带着颤抖的畏惧，但是，这里透露的信息很清楚，汉高祖容不得韩信炫夸己能。韩信最后说高祖是“天授”，显然是拍马屁，也带着“在人屋檐下，怎敢不低头”的委屈。

汉高祖贬韩信为淮阴侯的过程，是欲加之罪何患无辞，实在不怎么忠厚。而韩信的委曲求全，也显得苍白无力，毫无大将风度。或许这就是开国功臣的下场：打天下时可以称兄道弟，道义相许，一旦天下底定，皇帝登基，建立了绝对的权威，君臣之别开始泾渭分明，功高震主，就一定死无葬身之地。韩信收容了过去曾是项羽大将的老友钟离，引起汉高祖的不悦，再加上有人上书，告韩信谋反，汉高祖就假借巡狩之名出兵。究竟是什么人上书告发，史书无载，可是从《史记·彭越列传》所说的“吕后乃令其舍人告越谋反”，可知所谓彭越造反，完全是莫须有的罪名，上书者只是执行吕后一手策划的阴谋诡计。也许上书告发韩信谋反，也用的是同样的策略，至于汉高祖知不知道内情，那就只有天知道了。

然而，从韩信的反应，我们可以确知，他绝无反叛的意图。韩信自己觉得是清白无辜的，想去谒见高祖，心里却不太踏实，怕被抓起来。有人给他建议，说可以把皇帝讨厌的钟离杀了，皇上一定会高兴，就没事了。韩信去找钟离商量，被钟离骂了一顿，说，就是要杀我，拿着我的人头去献媚。大概还说了几句难听的话，什么“公非长者”之类，然后就自刎了。韩信拿着钟离的人头去谒见高祖，显然是背着“卖友求荣”的屈辱来献媚的，没想到，高祖却下令武士，把他绑了起来，关进囚车。韩信不禁仰天长叹：“果若人言，‘狡兔死，良狗亨（烹）；高鸟尽，良弓藏；敌国破，谋臣亡。’天下已定，我固当亨（烹）！”

韩信说的“果若人言”，指的是从前蒯通劝他叛汉的一段话。当时天下未定，韩信占领齐国为齐王，蒯通劝他另立旗帜，三分天下，韩信不听，认为汉王对他解衣推食，他怎么可以见利背义呢？蒯通就说了越王勾践的事迹，给他分析形势："大夫种、范蠡存亡越，霸句践，立功成名而身死亡。野兽已尽而猎狗亨（烹）……且臣闻勇略震主者身危，而功盖天下者不赏……今足下戴震主之威，挟不赏之功，归楚，楚人不信；归汉，汉人震恐：足下欲持是安归乎？夫势在人臣之位而有震主之威，名高天下，窃为足下危之。"蒯通指出的文种、范蠡的下场，《史记·越王勾践世家》有这样的话："蜚（飞）鸟尽，良弓藏；狡兔死，走狗烹。"是战国以来流行的俗语，也可说是民间流传的政治智慧。《韩非子》作："狡兔尽则良犬烹，敌国灭则谋臣亡。"《淮南子》则说："狡兔得而猎犬烹，高鸟尽则强弩藏。"

韩信这个军事天才，缺乏政治智慧，又盲目相信汉高祖的胸襟，以为开国功劳是自己的保险。再献上钟离的人头，更可表露自己效忠汉朝的心迹，卖友求荣，委曲求全，实在可怜，又复可鄙。郭嵩焘的《史记札记》说："信斩钟离以谒汉王，最为无理，倘亦所谓迷乱失次者耶？"是怀疑韩信害怕汉高祖，已经心神大乱，做事颠三倒四了。对于韩信到了身陷囹圄，才知道鸟尽弓藏的道理，郭嵩焘说：

“韩信之伺敌间，可谓神矣，独于高祖所以驾驭之术，身入彀中而不知。可见高祖之深机，以韩信之智能亦无从窥见其涯略，操之、纵之、予之、夺之，为所欲为，至于缚载后车而始悟。呜呼，高祖操机术以牢笼天下，殆亦旷千古而无对者欤！”

韩信贬为淮阴侯，过着如同软禁的日子，还不是他命运的尽头。最后是吕后跟萧何设计，让萧何把他骗进宫，“吕后使武士缚信，斩之长乐钟室”。而且灭了韩信的三族。汉高祖听说杀了韩信，《史记》是这么记载的：“且喜且怜之。”后世读史的学者，对此多有评论，有的说“五字写尽汉王心事”。有的说，“亦知无辜受戮为可悯也”。乾隆爷则从皇帝角度，提出另一种看法，不太在乎韩信是否死得冤枉，而是批评吕后，是牝鸡司晨：“韩信之冤与否姑弗论，然高祖在外，而吕后公然族灭大臣，回亦弗问，牝鸡司晨，成何国政？”

看来，开国皇帝就是这么做的，飞鸟尽，良弓藏，狡兔死，走狗烹，就是执行这样的国政。

三、废书而叹

《史记·儒林列传》一开头，太史公就来了一段感叹："余读功令，至于广厉学官之路，未尝不废书而叹也。"什么意思呢？怎么一开始书写"儒林"的历史，就废书而叹了呢？司马迁写的列传也真不少，按照《太史公自序》的笼统说法，是"本纪十二""三十世家""七十列传"，让重要的历史人物一一入传，有本传、有合传、有群传。《史记》这种"以人为本"的纪传体模式，创造了中国历史书写的体例，也成了二十四史以纪传体为主脉的写作传统。司马迁书写其他列传，其中也不乏令人扼腕叹息的事迹与情景，怎么就不曾激动到废书而叹呢？是什么让他如此激动呢？

其实，答案就在开头的话里，司马迁废书而叹的原因，就是"余读功令，至于广厉学官之路"。司马迁所说的"功令"，是当时记载与发布的功绩命令，这里指的是关于教育政策及广开学路的法令，打个大家熟悉的现代比方，颇似今天高等教育的扩招政策。就司马迁当时的具体历史情况而言，是汉武帝提倡儒学，建立五经博士制度，把学术纳入政治体系，让学者可以分享权力结构提供的利益，开启了“书中自有黄金屋，书中自有颜如玉”的传统。那么，建立官学，广开学路，扩大招生，磨砺师生向学，让聪明好学之士都有个前程，得以飞黄腾达，有什么不好，为什么要废书而叹呢？

我们过去读历史，读到汉武帝“罢黜百家，独尊儒术”，觉得大体上总是好事，虽然贬低了其他诸子百家的地位，却肯定了儒家学术的人文精神与道德伦理，为中华民族奠定了学术文化基础，也为中华帝国的统治提供了法理依据，教诲人民要崇尚秩序与稳定，构筑社会维稳的心理共识。然而，“独尊儒术”所形成的一元化思维，以及统治阶级为学术法理化提供的利诱机制，长期以来，却遏制思想的自由发挥，压抑特立独行的另类思考方式，到了明清时期，居然走到极端，演化出一整套钳制人性的道德高压体制，出现“礼教杀人”“礼教吃人”的现象。

到了清末海疆大开，西风东渐，有识之士蓦然回首，开窍了，开始质疑儒学的法理性，如谭嗣同写《仁学》，就强烈提出，要“冲决网罗”，要打破儒家思想牢笼全民思想的桎梏。清末最早出使欧洲，亲身接触了西方文明的郭嵩焘，读《史记·儒林列传》，有了西方历史文化发展的脉络作为参照，对汉武帝建立学官，发展教育，扩招儒学生员，发出深沉的感慨：“武帝广厉学官，诱之以利禄之途，于是儒者之道以熄，三代圣王之留贻涣散遗亡，遂以永绝于天下。武帝之广厉学官，其祸更烈于始皇，此史公所以废书而叹也。”

郭嵩焘说得非常严重，批评汉武帝独尊儒术，把学术体制化的后果，比秦始皇焚书坑儒还要坏。儒学体制化，思想政治化，生员扩大化，学术功利化，教育职场化，以功名利禄为诱因，一切都向实用利益看齐，儒家原来的人文精神就此丧失殆尽。理想中的圣贤之道，是希望知识与教育，可以为人类群体谋福祉，为个人追求真理与生命意义，对天人之际有所关怀，也就是宋代理学家张载所说的“为天地立心，为生民立命，为往圣继绝学，为万世开太平”的意思。然而，汉武帝提倡儒学，却有政治目的，像一只伸开魔爪的章鱼，散放充斥名利的诱人黏液，使人在利欲熏心的过程中，被铺天盖地的吸盘牢牢控制，令人浩叹。郭嵩焘的批判，说尽了独尊儒术造成思想独裁的恶果，恨不得一棒子打死汉武帝，却是事后诸葛亮。他是看到了两千年历史发展的弊端，征之于现代西方文明在文艺复兴之后的蓬勃发展，恨铁不成钢，才会在读《史记》之时，发了一通马后炮。这就让我们更加钦佩司马迁的历史睿识，对当时汉武帝独尊儒术的政治意图，能够明察秋毫，看到了儒学变成官学的弊端，可谓先见之明。

清初的方苞读《史记》，也读出司马迁的深意，知道太史公论述儒学发展的历程，正面论说之中暗藏反话，打的是棉花拳中藏暗器，充满了讽喻臧否。他指出，司马迁写到公孙弘以研究《春秋》为名，布衣以致公相，“天下之学士靡然乡（向）风”，“自此以来公卿大夫士吏斌斌多文学之士矣”，这样的文句，表面上看来是褒美儒学大兴之词，其实，联系到历史真相，就可以看出，他说的都是反话。《儒林列传》写儒学大兴之后，研究儒学的经师也就创立了家派，子孙后代及徒子徒孙都受益匪浅，夤缘成为学术官僚，甚者还能飞黄腾达，做到丞相一级的大官。司马迁写治鲁诗的申公门派，举了几个有成就的弟子之后，接着说："学官弟子行虽不备，而至于大夫、郎中、掌故以百数。"明白指出，读书干禄是一条有赚无赔的成功之道。因此，汉武帝兴儒学，其长远的历史影响，就不是发扬学术，不是追求真理与生命意义，而是建立"学而优则仕"的功利架构，让学术为政治服务。司马迁看到了这一点，深刻指出学术发展的两面性，并对学术体制化提出了深沉的怀疑。方苞读《史记》，看到了司马迁"刺讥痛惜之意"，回顾历史，憬然领悟中国学术官僚化的历程，不胜感慨："由（公孙）弘以前，儒之道虽郁滞而未尝亡；由弘以后，儒之途通而其道亡矣，此所以'废书而叹'也。"

看看今天高等教育职场化，扩大招生，全无理想，一切以牟利为目的，读《史记·儒林列传》，更是令人废书而叹。

原文刊载于《书城》2012年7月号、2013年3月号

唐伯虎与《红楼梦》

俞平伯一九二三年出版《红楼梦辨》，在附录中收了《唐六如与林黛玉》一文，一开头就说："读者看了这个标题，想来没有一个不要笑的，以为我大约是在那边大发精神病了。"其实，这篇文章很有意思，并不是为了讨笑，而是讨论《红楼梦》中黛玉葬花这个情节，在曹雪芹的创作过程中，应该有所本，是从唐伯虎的葬花故事与落花诗得到启发的。不知道俞平伯是否认为这篇附录文章学术性不够，属于游戏文章，在一九五二年修订重版，并改书名为《红楼梦研究》的时候，就把这篇文章全删了。

俞平伯写这篇文章，或许出发点带着逗笑性质，却翻阅了唐伯虎的诗文及轶事，以之对比《红楼梦》黛玉葬花的描写，考证性很强，也很有说服力。他列举《红楼梦》

［明］唐寅《落花诗册》（局部）

第二十三回，有一段写宝玉看到黛玉“肩上担着花锄，花锄上挂着纱囊，手里拿着花帚”，还跟宝玉说，“那犄角儿上我有一个花冢，如今把他扫了，装在这绢袋里，埋在那里，日久随土化了，岂不干净”。又列举了第二十七回，写宝玉“一直奔了那日和黛玉葬桃花的去处。将已到了花冢，犹未转过山坡，只听那边有呜咽之声，一面数落着，哭的好不伤心”。接着就是黛玉的葬花吟了：“花谢花飞飞满天，红消香断有谁怜？……桃李明年能再发，明年闺中知有谁？……明年花发虽可啄，却不道人去梁空巢已倾。一年三百六十日，风刀霜剑严相逼。明媚鲜妍能几时？一朝漂泊难寻觅……”

俞平伯所举的唐伯虎轶事，见于《六如居士外集》，是这样写唐伯虎的："唐子畏居桃花庵，轩前庭半亩，多种牡丹。花开时，邀文征仲、祝枝山赋诗，浮白其下，弥朝浃夕。有时大叫痛哭。至花落，遣小伻一一细拾，盛以锦囊葬于药栏东畔，作落花诗送之。"这是写唐伯虎落魄的时候，生活在苏州城西北的桃花坞，任性恣情，放浪形骸，却无法排遣内心郁积的无限痛楚。年轻时候的唐伯虎，才气纵横，不谙世事，以解元身份赴北京会试，意气风发，不可一世，却受到旁人的嫉恨，不幸身陷科场弊案，断送了青云直上的前程。褫夺功名之后，唐解元再也无法晋身上层阶级，与荣华富贵绝缘，成了一介布衣，只好靠卖画谋生。身为诗人画家，花开花落的绚丽与萎败，深深刺痛他敏感的艺术心灵。落花的景象，象征着鲜丽人生的死灭，总让他想起天真纯洁的往昔，感叹美好世界的消逝。唐伯虎拾花、盛以锦囊、葬花、作落花诗，一连串的情景，的确可以提供素材，作为曹雪芹描绘黛玉葬花的蓝本。

唐伯虎著名的《落花诗》三十首，原来是《和沈石田落花诗》，却成了感伤自己命运的谶语，如第一首就慨叹自己才高八斗，却无人赏识："今朝春比昨朝春，北阮翻成南阮贫。借问牧童应没酒，试尝梅子又生仁。六如偈送钱塘妾，八斗才逢洛水神。多少好花空落尽，不曾遇着赏花人。"他曾多次书写《落花诗册》，现今收藏在大陆的就有两册，一藏辽宁省博物馆，一藏苏州市博物馆。苏州所藏即蔬香馆法帖，有杭州西泠印社一九九七年的影印版，第一首就有异文："刹那断送十分春，富贵园林一洗贫。借问牧童应没酒，试尝梅子又生仁。若为软舞欺花旦，难保余香笑树神。料得青鞋携手伴，日高都做晏眠人。"此外，根据周道振、张月尊补辑的《唐伯虎全集》（中国美术学院出版社2002），唐伯虎的落花诗有多种书帖版本，与原作不同的有十七首之多。他还写过许多咏叹花开花落的诗歌，慨叹人世无常，如《桃花庵歌》的"半醒半醉日复日，花落花开年复年。但愿老死花酒间，不愿鞠躬车马前"。《花下酌酒歌》的"枝上花开能几日？世上人生能几何？昨朝花胜今朝好，明朝花落随秋草。花前人是去年身，去年身比今年老。昨日花开又谢枝，明日来看知是谁？明年今日花开否？今日明年谁得知？”《一年歌》的“一年三百六十日，春夏秋冬各九十。冬寒夏热最难当，寒则如刀热如炙”。我仔细翻阅了《唐伯虎全集》，还找到不少类似的诗句，都可以作为黛玉《葬花吟》的粉本，所以，非常赞同俞平伯的提法，认为曹雪芹写黛玉葬花的创作雏形是来自唐伯虎的诗歌与轶事。

还不仅如此。《红楼梦》多次提到唐伯虎，如第二回贾雨村讲到天地生人，有聪俊灵秀之气，可以化为情痴情种，或逸士高人，所举明朝的例子，就是唐伯虎与祝枝山。第五回写贾宝玉进了秦可卿的卧室，在梦入太虚幻境之前，看到悬在壁上的画，就是唐伯虎的“海棠春睡图”。清楚显示，曹雪芹熟悉唐伯虎的事迹与书画，毫无疑问，是以之作为创作的源泉与素材。更明显的例子是第二十六回，宝玉给薛蟠拜寿，说到写字画画，有这么一段令人失笑的文字：

> 薛蟠笑道：“你提画儿，我才想起来了：昨儿我看见人家一本春宫儿，画的很好，上头还有许多的字。我

也没细看，只看落的款，原来是什么‘庚黄’的。真好的了不得！”宝玉听说，心下猜疑道：“古今字画也都见过些，那里有个‘庚黄’？……”想了半天，不觉笑将起来，命人取过笔来，在手心里写了两个字，又问薛蟠道：“你看真了是‘庚黄’么？”薛蟠道：“怎么没看真？”宝玉将手一撒给他看道：“可是这两个字吧？——其实和‘庚黄’相去不远。”众人都看时，原来是“唐寅”两个字，都笑道：“想必是这两个字，大爷一时眼花了，也未可知。”薛蟠自觉没趣，笑道：“谁知他是‘糖银’是‘果银’的！”

这段文字写得生动精彩，但也是有来历的。王世懋（1536–1588）的《二酉委谭》就记有这么一段故事，是嘲笑一个北方的低级官员没有文化，读不通篆刻图记，胡搅蛮缠了文徵明与唐伯虎的关系：

文待诏徵仲，生年与灵均（屈原）同，尝为图书记，取《离骚》句曰："惟庚寅吾以降。"徵仲书画名盛，郡守令无不致敬者。有一贰守，北人也，不欲言其名。问人曰："文先生前，尚有善画于先生者否？"或对曰："有唐解元伯虎。"问："唐何名？"曰："唐寅。"贰守跃然起曰："信然信然。吾见先生图书曰'惟唐寅吾以降'。"闻者为之绝倒。盖唐、庚二字，篆书难辨也。

晚明文人之间流传的雅谑，文绉绉的，必须有相当学养，才会为之绝倒，是学者群中通达诗书的笑料。到了曹雪芹的笔下，由薛蟠演示出来，就写得更为通俗易懂，引人发笑。引用这段素材，在创造人物方面，《红楼梦》写薛蟠的不学无术，达到了雅俗共赏的效果。

有趣的是，俞平伯在一九五二年修订重版的《红楼梦研究》，虽然删去了《唐六如与林黛玉》一文，却增加了《读红楼梦随笔二则》。第二则是他读清人褚人获（1625–1682）《坚瓠集》，看到的一条"衡山图记"，内容与上引王世懋所记相同。俞平伯十分谨慎，“不敢说《红楼梦》的作者一定用了这典故，或许只是碰巧偶合”。我则认为，《坚瓠集》的“衡山图记”，显然是抄自《二酉委谭》，是当时流行的典故，也出现在《六如居士外集》卷一。曹雪芹是个饱学之士，这些材料应该都知道的。

利玛窦与文明对话

朋友近来写了本书，讨论中西文化交流，送了我一本。书写的很好，其中探讨了利玛窦来华传教，与中国知识阶层的交往频繁，思想交流密切，可以戏称为中西文化关系的“蜜月时期”。他特别举出，虽然儒、佛、道三教的思想体系与基督教神学有很大的差异，当时却有着“文明对话”，并以住在北京的利玛窦与杭州的莲池大师（云栖袾宏）书信往返为例，说明佛学与基督神学在当时有探讨、有论辩，但却不是相互攻讦的“文明冲突”。

学者对晚明文化的研究，大体上有个共识，认为明代后期因为阳明学说的流行，对主流意识形态的程朱学派有所冲击，思想比较开放。再加上江南与东南沿海地区经济发达，物质生活显著提高，社会风气宽松，造就了相对活泼的文化

P. Matthæus Riccius Macerat. è Soc. Jesu prim.' Chrĩanæ Fidei in Regno Sinarum propagator.
Lij Paulus Magnus Sinarum Colaus Legis Christianæ propagator.

利玛窦与徐光启

环境。因此，利玛窦及耶稣会士来华传教，遇上了一个好时机，能够吸引一些思想开放的士大夫知识人，传播基督教神学。最典型的例子，就是所谓“天主教三大柱石”，徐光启、李之藻、杨廷筠。他们本来都是信奉儒学的，成长过程也都浸润在儒家思想之中，但在生死问题方面，以及儒家不谈的生前身后世界，却通过利玛窦的影响，受到基督教神学的强烈吸引，皈依了天主教。若说利玛窦在明代中国传教，带来基督教文明，还能跟一些本来信奉儒家思想的文化人，进行思想交流，促成“文明对话”，可以举徐光启这一类人为例证。但是，我们也必须记得，不管是利玛窦、庞迪我、罗明坚这样的传教士，还是杨廷筠这类士大夫文化人，从儒家意识形态当道的文化场域而言，在当时是属于“沉默的少数”，从来没有质疑或批判过儒家正统，也从来不曾高举基督教神学的旗帜，以平起平坐的方式，公开跟佛家宗教体系进行过“文明对话”。

利玛窦曾经明确提出四个中文字，作为他在华传教的策略：“易佛补儒”。就是要在中国的文化土壤上，以基督教取

莲池袾宏

代佛教，同时补充儒教之不足。谁是敌人，谁是朋友，战略目标定得清清楚楚。与佛教，是你死我活的斗争；与儒教的关系，则是阶段性的朋友。这个四字真言，显然并没有完全吐露利玛窦传教的真实本意，而是面对现实困难的“统战策略”，像扭秧歌一样，进三步退两步，最终希望能够达到拯救全部中国人灵魂的目的。所以，假如利玛窦心目中真的存有“文明对话”的想法，他也不是想跟儒释道三教合一的明代中华文明对话，而是想用间离分化的方式，把儒家与释、道分开，与儒家正统对话，成立统一战线，消灭佛教与道教对人心的影响。

那么，利玛窦在北京的时候，可能与杭州的莲池大师书信往返，进行佛学与基督神学的“文明对话”吗？不可能。事实上，也没发生过书信往返之事。

真正的情况是这样的。笃信佛学的虞淳熙是莲池大师的信徒，在当时是属于思想比较开放的人士，从朋友那里得知“利西泰先生，非中国人，然贤者也，又精天文方技握算之术”，读到利玛窦写的《畸人十篇》，觉得内容“了不异佛意”，跟佛教的精神超越追求没大差别，因此写了封信给利玛窦，劝他读读佛家经典，不要在还没理解佛学奥义之前，就一心毁佛。利玛窦接到信后，认为虞淳熙来信态度诚恳，写了回信，说他万里迢迢来华的目的，就是“为奉天主至道，欲相阐明，使人人为肖子”。不过，强烈指出：“尧舜周孔，皆以修身事上帝为教，则是之；佛氏抗诬上帝，而欲加诸其上，则非之。”这里所用的论辩策略，是偷换概念，把中国古代意识中的“上帝”转换成基督教的“上帝”，说中国古代圣贤从来没听过佛教道理，却都信奉上帝。而佛教教义却“抗诬上帝”，是敌对性的，所以必须指出其谬误，必须“非之”。利玛窦精通论辩逻辑，笔锋一转，针对没有通读释典的质疑，就说，天主教的经典比佛藏还多，只是翻译过来的很少，因此人们不知道基督教义的高明深奥。

虞淳熙把利玛窦的回信交给莲池大师，请教师父，莲池写了“答虞德园（淳熙）铨部”一信，批评了利玛窦。其实，莲池的信并没有传到利玛窦手里，也就无从说起“书信往返”，更说不上“文明对话”了。不过，莲池的信中说道，他读到利玛窦的《天主实义》及《畸人十篇》，因此，也可以说是有过间接的思想交流。莲池对天主教义采取完全摒弃的态度，直斥为“邪说”，并且用了不少轻蔑的语言，似乎犯了出家人不该犯的“口业”。他告诉虞淳熙，利玛窦的回信，条达流畅，与《天主实义》及《畸人十篇》的艰涩文字不同，显然是士大夫信徒帮手写的，但是“格之以理，实浅陋可笑”。他把基督教义说成“蠢尔幺魔”，对利玛窦回虞淳熙的信，表示了极其不屑的态度：“今姑等之渔歌牧唱，蚊喧蛙叫而已。”但是，莲池也相当警觉，担心有些士大夫受到邪说的影响，一时头昏，为其所惑，所以，也决定“不避口业，起而救之”。

莲池大师的“口业”，后来就出现在《竹窗三笔》的“天说”四篇文章，批评天主教对天及上帝的说法。莲池的《竹窗三笔》刊行在利玛窦死后数年，利玛窦生前是否有所风闻，我们无法考实，但是引起天主教信徒的不满，却是事实。就有信徒，极可能就是杨廷筠（陈垣的看法），假借利玛窦之名，写了“复莲池大和尚《竹窗天说》四端”这篇文章，针锋相对，批评佛家说法。有一些意气话，像小孩子吵架一样，今天看来，引人发笑。如：“佛者，天主所生之人。天主视之，与蚁正等。今反尊之，令尊卑易位，大小倒置。”

李之藻在印行《天学初函》的时候，把利玛窦、虞淳熙与莲池大师的论辩文章收在一起，并且写了篇“跋”，对利玛窦与莲池从没机会面对面，好好进行“文明对话”，深感遗憾：“莲池弃儒归释，德园潜心梵典，皆为东南学佛者所宗，与利公之学戛戛乎不相入也。兹观其邮筒辩学语，往复不置，又似极相爱慕，不靳以其所学深相订正者。然而终于未能归一，俄皆谢世，悲夫！假令当年天假之缘，得以晤言一室，研义送难，各畅所诣，彼皆素怀超旷，究到水穷源尽处，必不肯封所闻识，自锢本领，更可使微言奥旨，大豁群蒙，而惜乎其不可得也。”在李之藻看来，利玛窦及莲池大师都是人中龙象，信仰不同，学理不同，但是，既然有了论辩，就似乎有可能相互倾慕，应该会有思辨交集之处。假如他们有机会共处一室，进行对话，一定可以开放思想，让不同思想体系的奥义得以阐发。可惜，这样的大师对话机会却没有发生。

李之藻的感慨，十分深刻而且开放，对儒释道与基督教的态度，完全平等宽和，乐于“与人为善”，丝毫不存党派偏见，对今天讲“文明对话”的人，是值得特别表彰的。虽然他有点误会利玛窦与莲池论辩的情况，以为他们信函通邮，“往复不置”，其实两人却从来没有对过话，完全坚持自己的定见，“鸡同鸭讲”，但是，从李之藻表示的愿望来看，从这个中国天主教徒的思维脉络，我们倒是看到“文明对话”上了身，出现了文明融合的契机。

徐霞客及其家世

一

徐霞客（1587–1641）是明末的奇人，他的著作《徐霞客游记》是一本奇书，在文学史、地理知识史、文化意识史上都有独特的地位，不但为中国旅游文学开创了崭新面目，也反映了中国知识精英在早期全球化期间的世界观发展，对客观世界进行细部的实证考察，并且提供了探索自然的翔实记录，同时一一探究知识的可靠性。《徐霞客游记》的出现，有其划时代的意义，也有其历史文化发展的原因。从书写创作的主观层面来说，涉及游记书写文类的发展，自魏晋以来个人意识的萌发，表现于士大夫文人的放情山水，在欣赏自然美景之余，记录个人对自然的独特观察与体会，追求审美境界的天人合一。这种属于审美范畴的思想意境，通过唐宋时期散文书写的发扬，发展到了明代，已经累积了丰厚的文化资源，可以作为徐霞客汲取发扬的基础，记录日常生活的点点滴滴，化日记的细节书写为文学性与思想性的篇章。

从社会环境的变迁而言，明代中叶之后，中国东南半壁的经济生活极为繁荣，沿着长江中下游与大运河流域，城镇化与经济商品化发展迅速，参与商业行为的人口频繁扩张，交通路线急速发展。除了官方《大明一统志》的地理记载，从当时出现大量商程便览之类的导引书刊，如黄汴的《一统路程图记》（后来翻刻成《天下水陆路程》《新刻水陆路程便览》等）、李晋德的《客商一览醒迷》、程春宇的《士商类要》，可知全国的交通路线以及各地驿站分布，不但胪列得十分清晰，巨细靡遗，而且标注出五里、十里、二十里、三十里、五十里、六十里、七十里的路程地望，方便商贾经商旅行（详见杨正泰《明代驿站考》[增订本]，上海古籍出版社 2006），当然也同时惠及出门旅行的游客。因为经济繁荣与稳定，一些富裕人家在生活有了余暇之后，游山玩水成

徐霞客像

为相当普及的社会风尚，不再是极少数达官贵人的禁脔，得以让个别精英人物在不忧衣食的环境中，尽情发挥个性，在寻觅山水奥秘之中，满足自我存在的意义。

按照清初泉州人黄虞稷的《千顷堂书目》所记，列举了士大夫文人的旅游著述，作者达五十七人之多。这些文人学者书写的游记，与路程便览、客商指迷以及历代记述地理山水的志书都不同，是属于亲身经历的记述，不是沿袭前人著作的书抄。历史地理学者周振鹤研究明代后期旅行家群体，特别指出，这些游记的作者大多数是进士出身，或者是有一定官职的举人或诸生（周振鹤《徐霞客与明代后期旅行家群体》，《徐霞客研究》第一辑，学苑出版社 1997）。旅游的性质，有许多是因为“宦游”，也就是借着执行官府职务的机会，或走马上任，或巡按调查，途经名胜古迹，顺便“到此一游”，却又感到旅游的乐趣值得笔诸为文，记下自己的游踪，也算是“读万卷书，行万里路”的体现。如王世贞的弟弟王世懋，在他《闽部疏》的序里就说：“今天下内外官，得行部遍者，直指、督学两使者而已。世懋束发宦游，多历海内名山大川。”可见，达官贵人旅游天下，经常是执行公务的附带行为，多半可以归于今天所说的“公费旅游”。必须在此指出，晚明最出色的旅行家徐霞客，虽然出身世家，却抗拒科举仕途，未曾谋过一官半职，因此，他足迹遍天下，倒是从未使用过公帑，所有旅游花费都是自己提供的。

明代中期以后，士大夫文人学者除了游山玩水，写下亲身经历，也对寰宇地理进行仔细的实地考察，编写成长篇著作，既有游山玩水的观赏性质，同时反映了实证考察的学术钻研。从王士性的《五岳游草》与《广志绎》、何镗的《古今游名山记》、杨尔曾的《海内奇观》、墨绘斋刻本《天下名山胜概记图》、曹学佺的《蜀中名胜记》，以及顾炎武的《肇域志》与《天下郡国利病书》，可以看到，写作的目的兼具知识性与观赏性，蕴含了许多个人观察外在世界的信息，与上述商程导引书刊的性质不同。从这些游记与记载山川形势的书中，我们可以探知，明末文人学者游览名山大川的动机，或许初始意在旅游玩耍。亲身游历，仔细观察名山大川之后，还要字斟句酌，发之为文，就有了超乎娱乐的文学审美与知性追求。晚明时期的社会文化繁荣与变化，冲击了许多上层精英的知识系统，在探索内圣外王的心性之学以外，对外在世界的客观存在产生了浓厚的兴趣，触发了知识结构的变化。知识探求不再限于儒释道的心性辨析，而想跨越传统的文献知识，摆脱古人诉诸圣贤权威的不求甚解方式，企图通过亲身的验证，清楚地认识客观世界与自然地理的面貌。徐霞客就是这种探求客观地理真知最典型的人物，《徐霞客游记》也就成了建构新知识系统的重要著作。

徐霞客才气纵横，文笔恣肆而又细腻精确，具备了艺术家刻画自然的写生才能，又有观察实证的科学逻辑头脑。他探索自然地貌环境，似乎只是为了纯粹的求知目的，满足自己的好奇心。他记录实地考察山川地理的经历，颇像达尔文乘“小猎犬号”（Beagle）考察船环游世界，抱持追求生物科学知识的执著，记录各地物种那样，写成巨细靡遗的游记，并无功利的考虑，没想过什么“实用价值”。我们可以想象，徐霞客每天翻山越岭，攀援险峰，涉过溪涧，到了晚上还孜孜不倦，在昏暗如豆的灯下，展开文房四宝，沾濡着他饱览山川大地的无限深情，以优美的文笔，一个字一个字，记下详细的亲身观察。他从家乡江阴出发，穿的是草鞋或麻鞋，日复一日，不存在任何功利目的，走遍中国名山大川，进入西南大地，深入不毛，一直走到滇缅边境，这是何等的精神？到了夜深人静，他还不顾跋涉整天的疲劳，写下如此优美的大地颂歌，是什么样的超越力量支撑着他，为我们留下了《徐霞客游记》？

当然，徐霞客具有特殊的文学艺术才能，有观察世界的精密逻辑思考方式，像实验室里的科学家一样，锲而不舍，一丝不苟，有兴致，也有能力，组织起身体力行的观察，记录了跋涉天涯的每一步足迹。不过，我们还是要问，除了上述的时代环境，是什么具体原因，因缘际会，激发了徐霞客，让他停不下脚步，必须走遍天涯海角，必须把分分钟钟的历程，记录得丝毫不漏？徐霞客的主观能动性从哪里来的？是什么内在因素激励他日复一日、年复一年，行走天涯，写出如此卷帙浩繁的游记？是家世中的什么特殊背景，生命中的什么环节，驱动他的心灵，使他像一颗漫游在外层空间的彗星，循着自己的轨道，永不歇止？

读《徐霞客游记》，要心存景仰之情，不只是读一本好玩的游记，也不只是欣赏优美典雅的文章。要想到徐霞客行走天涯，是以独特的个性，来展现人类特有的求知精神，求真求是，为求知而求知，为审美而审美，为躬亲体验山河胜景而游历。这种对外在世界的纯粹好奇，要亲身去体验的求知精神，是人类有别于其他物种的特性，也是人类文明发展的基本动因，值得我们思考，也值得我们学习。

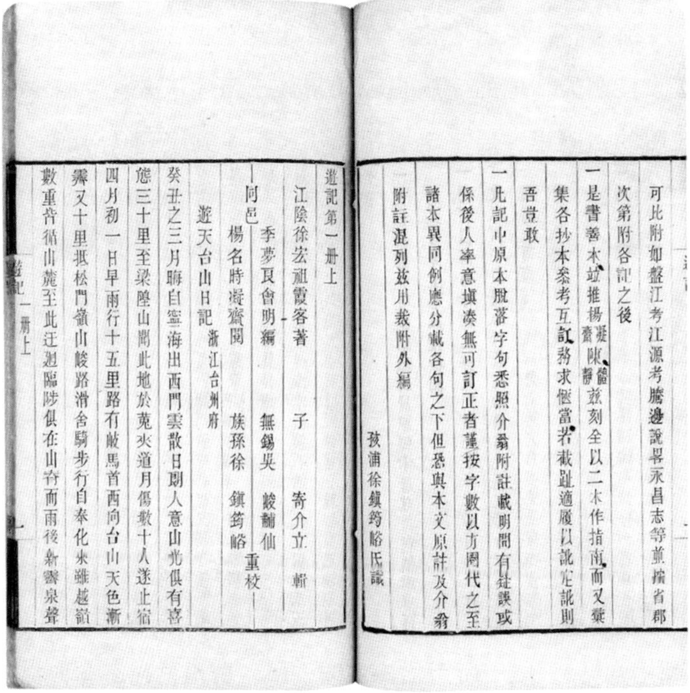

清光绪七年（1881）瘦影山房木活字印本《徐霞客游记》

二

徐霞客，原名宏祖，亦作弘祖，字振之，号霞客，南直隶江阴人。他的家族是江阴望族，祖先于宋元之际来到江阴的西顺里，后来定居梧塍里，至少到了元代就已经在地方饶有声名，跻身于精英阶层。从倪瓒（1301–1374）在一三七〇年写的《题书屋图》可知，无锡地方的大画家倪瓒与徐氏祖先徐均平是好朋友，特别欣赏均平刚满十岁的儿子徐麒(1361–1415)，说他“清令不凡，异日必能乘长风破巨浪”，所以为他取了“本中”为字。倪瓒还说，他画这幅“书屋图”，是为了鼓励徐麒，期望这个聪慧的少年努力向上，可以继承与发扬徐家的“世德家声”：“徐郎已能缉书鉏经，尚默观此意，居静饮和，允执以往，吾知为世德家声所积者深矣。并为图一书屋，题诗于上，以志期望云。”（见《晴山堂帖》。以下所引徐氏家族资料，皆出自徐霞客搜集刻印的《晴山堂帖》）

倪瓒显然非常器重徐家的少俊，才会为他画一幅书屋

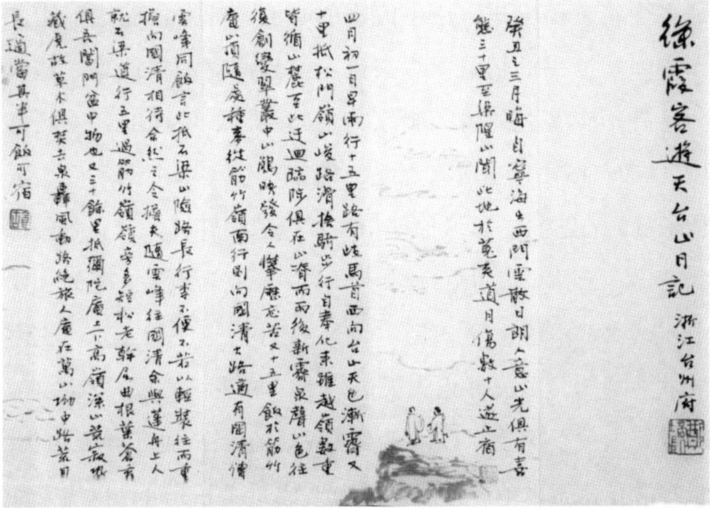

郑培凯书《徐霞客游天台山日记》

图，还题了诗，希望徐麒能够读书成才：“问字惭荒老，垂髫喜亢宗。亲方行役远，道在慎吾中。露净当空月，香余隔户风。幽斋无长物，琴帙隐高松。”虽然是写给徐麒，鼓励青少年读书上进，诗中流露的心境，却向往隐逸高士在幽斋弹琴读书的情景，想来也隐约是倪瓒的自画像。这幅画还有不少著名的诗人画家为之题跋，如倪瓒的好友杨维桢（1296–1370）当时就在场，即席写了《本中书室图与云林子赋》，说道：“蓉城徐郎十岁耳，琼芽轩轩，已有餐霞御飙之异。云林子以世好命之字曰本中。复为掞墨。予时在阁中，顾索赋，遂并纪一绝。”诗云：“小凤遐飞碧玉京，玄亭抵掌共卿卿，图成好识先天语，十二楼头第六楹。”也是鼓励青年少俊要努力，以求飞黄腾达，在昆仑仙宫群玉山头，能够占有一席之地。不过，鼓励年轻人读书上进，以飞升仙家宫阙作为参照，也的确是别有用意，不知道小徐麒是否读得出其中深意。苏州的大诗人、明初十大才子之一的高启（1336–1374）也为倪瓒书屋画幅写了题跋，说：“云林师之字本中，窅然不欲作小大观，不可无言，为申幽解。”并且赋诗一首，申说幽微的深意："一往翔驹气若龙，风云举足自相从。寸心宁逐天倪返，变化由来未出宗。"先标出龙马精神，风虎云龙，气象干云，随后却说内心宁愿回归自然之道，万变不离其宗。

过了八年之后，洪武十一年戊午（1378），同列明初十大才子的徐贲（1335–1393）在徐麒的行笥中，看到倪云林的图咏，发现其中题跋，都是逝去的故友，"不胜今昔之慨"，也题了一首诗："幽人丘壑心，英士风云色。出处万里远，触机在深寂。领此未发意，相看两不拂。云林有高真，玄扉炼灵液，往来挟飞仙，不与人群习。遥望故人子，一见能洞别：丹佳影犹含，丛兰茁方出，锡之以珍名，授之以微密。先天返吾宗，小景图太极；华篇遂成林，风雅东南绝。忽焉数载余，语语既冥合。鸿声启后人，遗咏慕前哲。作者慨莫从，来者欣未息；瑛带转难穷，珍重千秋业。"从这首诗里，我们多少可以窥知元末明初的知识精英生活在动荡年代所处的困境，对出处仕进采取消极的态度。作为徐麒的长辈，在称赞少年英华的同时，不经意间流露出明哲保身的想法，暗示归隐才是处身之道。青少年时期的徐麒是否能够读出前辈诗中的弦外之音，我们是无法知道了，但是，后来世事的发展却残酷地“为申幽解”，印证了诗句对仕进的忧惧。倪瓒与杨维桢退隐山林，得以善终；高启与徐贲卷入官场的起伏，最后都遭到明太祖的残杀。

徐麒是徐霞客高祖徐经（1473–1507）的高祖，也就是上溯八世的祖先。从徐麒出生（1361）到徐霞客逝世（1641），徐家九代人恰好经历了明朝的三个世纪，也与明朝兴衰的命运类似，经历了从兴盛到逐渐衰败的历程。从南京国子监祭酒陈敬宗（1377–1459）在正统十二年（1447）所写的《徐征君（麒）墓志铭》来看，徐家在元明之际就已经相当富裕，徐麒更是经营有方，而且乐善好施，喜欢交往文人画家，经常举办雅集：“家极丰盈，至君辟畦连阡，原田每每，储橐益广，然富而好礼，见义必为，赡荒周之，时时惟以推衣授室为念，故德流暖溢，所以沦澈乎物者甚广。至于礼贤下士，倾盖之契，久要之诚，互极其绸缪雅意。性不嗜酒，无歌声舞影之欢，唯良朋登访，必展瑶席，飞彩毫，相与酬酢觞咏，彻昼夕而无怠色。盖其灏气袭人，和风鼓物，有非恒情可能者，是以宇内播扬，咸仰之为山斗。”

徐麒在明初建国的洪武期间，曾被地方推举到中央，奉诏到西南羌蜀地区，做过安抚边区少数民族的工作，受到朝廷的嘉许。但是，他并不栈恋官场升迁，以家计浩繁，需要处理为由，请求回到家乡做征收赋税的工作，辞去朝廷颁奖，急流勇退。他回到家乡工作，正好配合明初国家草创急需税收的政策，也符合前辈的称许与期望，退居乡里，明哲保身，却是当时极为少见的。陈敬宗写的墓志铭就说：“回想我高皇之朝，得请告归里者，自君而外，未能一二见也。”此后的徐家，在江阴地区担负征收赋税的任务，“上下相安于乐利”，奠定了稳定的社会基础，一直保持富裕乡绅的地位。徐麒的两个儿子景南与景州，都能继承父业，在明代前期的永乐、宣德、正统年间，得到政府的眷顾，累积了丰厚的资产。

徐景南的儿子徐颐（1423–1483），曾接受诏令，担任过中书舍人的职位，在文华殿当差，有过亲仰龙颜的荣耀，使徐家的地位更上一层楼。但是，他依然遵循谨慎笃实的家风，按着祖父徐麒处世的方法，在朝中工作了一段时间之后，就以奉养双亲为由，辞官归隐家乡，继续富裕乡绅的低调生活。他继承祖辈回馈家乡的策略，通过各种善举，捐赋税，救灾荒，修桥铺路，维持了徐家乐善好施的名声。李东阳（1447–1516）任翰林院侍读学士的时候，曾为徐颐写墓志铭，就说："家旧多赀，君益勤俭，治生业，增产拓地，殆无虚岁。乃以其羡赈凶贷乏，而薄其息入以为常。及其子元献举乡贡，喜甚。会当征逋谷，贫不能偿者数千石，悉捐之。县南通衢有永安桥，当潮冲圮弗治，君发私财修之，工役颇巨。其余葺治桥道，多至不可数。"最后总结为铭文："大江之阴，山高水深，君居其间，不闻足音。有田有庐，有服与簪，亦有行义，邦人所钦。西顺之乡，梧塍之里，生斯葬斯，终复其始。着铭刻石，作者太史，九原有知，以慰汝子。"称誉有加，却也符合事实。

徐颐的长子徐元献（1455–1483），十分好学，为江阴徐家走向显赫带来了希望。徐颐为了培养儿子，特别延聘名师张亨父为西席，教导进学之道。徐元献不负众望，于一四八〇年，二十六岁的时候中举，崭露头角。徐元献在南京中举，房师就是李东阳，听好友张亨父说过元献成长的过程，知道徐颐注意元献的培养，管束甚为严厉："余尝闻亨父言，君（徐颐）教子严甚：不侈服，不重肉；馆于后圃，左右图籍，不令与阛市相接，而日躬课核，至夜分乃罢，故元献弱冠成举子，及古文歌诗，皆有名。"当时正在南京侍奉父亲疾病的倪岳（1444–1501），也是张亨父在翰林院的好友，与南京秋闱的考官罗璟与李东阳则是一四六四年考取进士的同年友，又认识徐元献的叔父徐士亨，对江阴徐家颇有好感。他原来就听张亨父说过，教导过的学生最优秀的就是徐元献，而徐颐教子有方。一四八〇年南京秋闱的结果，证实了长辈的期望，倪岳从两位考官之处得知，徐元献在南京乡试中脱颖而出，名列第三，因此写了《贺经元徐尚贤序》。这篇文章明确指出，江阴徐家累世丰硕，富甲江南，而徐元献读书有成，科举得胜，可以光大门楣，给家族带来的荣耀是无可限量的。文章虽长，却条理分明：

予尝闻翰林检讨张先生亨父言，其及门授经之士，唯江阴徐氏之子元献尚贤者，尤精敏嗜学。加其尊翁一庵笃于教子，朝夕课督其业不少置，将来大有成者，其可望矣。予归侍先君尚书大人之疾，家居最久，士夫往来江南者益众，由是而稔闻其贤；益知亨父之所称许者不苟也。乃成化庚子秋，洗马罗先生、侍讲李先生皆予同年友也，奉命来考南畿。试既毕事，辄以小录见示，其第三名则元献也。及见二先生而询其取士之实。则曰："明经考古，虽平居从容，执书策，伸纸濡墨，或不能精凿若是，况夫风檐寸晷之下者乎？得士如此，则是行为不虚矣！"呜呼！闻与见异情，以其所闻，参其所见，然后士之实可知也。何则？称誉多溢美，而照察无遁形；二者无一谬焉，予于是而嘉元献之所以成今日之名者有本也。元献之大父梅雪翁，承累世丰硕之业，以赀甲于江南，而敦诗说体，着为家法。至一庵绩学励行，以翰墨重缙绅间。荐授中书舍人，入直文华便殿，日近清光，荐承宠渥。无几即谢事归，徜徉山水间，以诗酒自娱。四方文学之士，有重名者，恒礼教家塾，以训子弟，而躬考其成。由是弟士亨以书经举顺天京闱乡试第一，累迁荆门守，有清白之誉。今兹元献复以易经擢魁多士。世美相承，若徐氏者，可谓甚盛矣。夫贵不期骄而骄自至，富不期侈而侈自至；虽有聪明之资，而骄侈之心乘之，求学之有成难矣。况敢觊望文明之显赫，衣冠之蝉联，以振耀于时者哉？况一门竞秀，两魁继擢，方出于贵富之族者哉？是非负卓然出群之识，轩然大用之志，不汩没于庸众之习，而超诣乎圣贤之指，讵能不蹈昔人之戒，而克副乎士夫之所期也？元献荣荐而归，足慰一庵平日教成其子之心，可谓能以志养者矣。不日偕计上春官，进对大廷，享有禄位，推是以往，宜无所不至。然予窃有告焉·夫处贵者宜思其恭，处富者宜思其俭。恭以事乎上，接乎人，则无失德；俭以处乎己，刑乎家，则无失事。二者交勉焉，于以迓天庥而延世德，则元献之责也。而徐氏盛大之族，其所以望于贤子孙者固宜然哉？非徒以是张而大之而已。昔者一庵往来于先君所有年，而予亦尝交士亨于京师，且亨父于予又同年而契者，故于元献之捷，其所以为之而喜者不一也。请以是规致赠言之义。若夫夸诩歆艳之词，非所先也。

倪岳的文章说到江阴徐家累世富裕，虽富有却尚未贵显，然而发展的前景则无可限量，主要讲了几点：

一、徐家累世积德，读书上进，早已是名满江南。

二、徐元献才学俱备，名实相副，是因为家学渊源，祖父徐景南、父亲徐颐都是富而好礼的饱学之士。

三、徐元献的叔父徐士亨中顺天乡试，已经任官荆门。

四、徐元献中举，继叔父之后取得功名，“不日偕计上春官，进对大廷，享有禄位，推是以往，宜无所不至。”期望能够考中进士，让徐家成为显赫世族。

五、看来徐氏一族已经踏上盛大之途，还盼徐氏子孙节俭恭敬：“处贵者宜思其恭，处富者宜思其俭。恭以事乎上，接乎人，则无失德；俭以处乎己，刑乎家，则无失事。”

倪岳的期望与告诫，显示徐家的显达与兴旺指日可待，然而世事难料，居然功亏一篑，遭到了“盛极必衰”的厄运。徐元献虽然科场得意，得到许多前辈的关怀，却因身体羸弱，无法支撑读书过度劬劳的负担，还没考上进士就去世了，享年二十九岁。徐元献英年早逝，给徐家带来沉重的打击，年过花甲的父亲更是难以承受，白发人送黑发人，情何以堪，六个月后徐颐逝世，可能就是因为殇子之痛。徐元献过世，留下了一个儿子徐经。徐经早年丧父，倒是聪慧颖悟，读书有成，科举顺利，二十五岁就通过乡试，成了举人。没想到在弘治十二年己未（1499）的春闱会试，却引起了滔天大祸，身陷囹圄，声名扫地，以至于赍志以殁。

三

徐经（1473–1507）是徐霞客的高祖父，十岁连丧父祖两代至亲，还好有富裕家庭的支持，得以专心攻读经书，致力科考。年方二十五岁，通过弘治八年乙卯（1495）的南京乡试，表现出色，继承早逝父亲的未竟之志。虽未连捷进士，但已经一鸣惊人，声名远播，被誉为江南著名的才子，与苏州的青年才俊如祝允明、文徵明、唐寅等人交好，意气风发。隔了三年之后，弘治十一年戊午（1498），唐寅（1470–1524）在南京乡试中大放异彩，夺得解元鳌头，接着就与徐经一道，参加次年春天在北京举行的会试。徐经家财万贯，带着仆从与优伶，一路炫富，与唐寅联袂入京，引人侧目，当然也引人嫉妒。会试期间，就有给事中华昶听闻其中有鬻题之弊，事牵贿赂，遂弹劾主考程敏政，引发了弘治年间的科场大案，其中牵扯到官场斗争，惹得龙颜大怒，致使唐寅与徐经不但黜退功名，还下诏狱拷打逼供。最后是弹劾者与被劾者一概贬斥丢官，唐寅与徐经则身败名裂，断绝了仕进的希望。这一桩科场大案，真相究竟如何，徐经是否贿赂买题，唐寅是否参与其事，在当时已是谣言满天，扑朔迷离。朝廷的处置方法却很简单，真实情况无关紧要，平息事端才是上策，于是，惩罚一切涉嫌人等，原告被告一起挨打。唐寅与徐经还没涉足官场，就成了一场斗争的牺牲品，断送了一生的前途。

《明史·文苑》唐寅有传，其中说到唐寅："举弘治十一年乡试第一。座主梁储奇其文，还朝示学士程敏政，敏政亦奇之。未几，敏政总裁会试，江阴富人徐经贿其家童得试题。事露，言者劾敏政，语连寅，下诏狱。"尤侗《明史拟稿》所述相同，指出参劾者是华昶。王鸿绪《明史稿》则说"寅友人都穆构其事"。三者数据源相同，可知科场大案是由都穆肇其端，给事中华昶揭发弹劾。然而，事实究竟如何，是真有贿赂，还是诬陷，正史没有细究，含糊其辞，让读者得到徐经贿赂买题的印象。

地方志与唐寅友人的记载，则力辩唐寅之冤。《吴县志》记载："弘治戊午，试应天第一。旁郡有富子，亦举于乡，慕寅，载与俱北。既入试二场后，有仇富子者，抨于朝，言与主司有私，并连寅。诏亟捕富子与寅付狱，逮主司出，同讯于廷。富子既承，寅不复辩，同被黜。"祝允明写的《唐子畏墓志并铭》说得最详细："戊午试应天府，录为第一人。己未，往会试，时旁郡有富子，亦已举于乡，师羡慕慕子畏，载与俱北。既入试，二场后，有仇富子者，抨于朝，言与主司有私，并连子畏。诏驰敕礼闱，令此主司不得阅卷，亟捕富子及子畏付狱。诏逮主司出，同讯于廷。富子既承，子畏不复辩，与同罚，黜掾于浙藩。归而不往。或劝少贬，异时亦不失一命，子畏大笑，竟不行。”从这些较为原始的资料，我们还是不能确知到底是否真有贿赂情事，只知道唐寅与徐经在会试之时，被人陷害，下了诏狱，廷讯之时，徐经认了罪，就此结案，褫夺功名。唐寅也就认了，从此浪迹江湖。

唐寅与徐经打入天牢并经廷讯的这一段经历，到底具体发生了什么，史书没有记载。但是，从唐寅写给挚友文徵明的信，自比司马迁写信给任安，说得披肝沥血，我们或可揣摩一二。信中说到他荣获解元之后的遭遇：“方斯时也，荐绅交游，举手相庆；将谓仆滥文笔之纵横，执谈论之户辙。歧舌而赞，并口而称；墙高基下，遂为祸的。侧目在旁，而仆不知；从容宴笑，已在虎口。庭无繁桑，贝锦百匹；谗言万丈，飞章交加。至于天子震赫，召补诏狱。身贯三木，卒吏如虎；举头抢地，洟泗横集。而后昆山焚如，玉石皆毁；下流难处，众恶所归。”明确说到，在狱中用了重刑。这里具体提到了“身贯三木”，就是把木制的桎梏刑具，加到颈、手、足三处，比近代的手镣脚铐犹有过之，是对待重刑犯的处置。想来总是拷打逼供，使得徐经与唐寅受刑不过，屈打成招的。

关于徐经到底是否贿赂，是否向程敏政的童仆买题，也始终是个谜团，无法辨明真相。可以确知的是，有人告讦，有人弹劾，有人下狱，有人动刑，有人受不了刑而认罪。有趣的是，认罪之后，罪犯却没有判刑，轻轻发落了。告发舞弊案的给事中华昶，却遭到降职贬斥的处分。其中奥妙何在呢？对于这段痛苦经历，徐家后世不愿多谈，地方志却有简要的记述。乾隆本《江阴县志》说：

> 徐经，字直夫，中弘治乙卯科。父元献，成化庚子科第三人。经与吴门唐寅，以才名相引重。寅发弘治戊子（午）解元，公交车北上，与经偕行。为都穆所忌，

蜚语诬以贿主司程敏政家僮预得试题。实因戊子（午）乡试主司梁储奇寅文，还朝携以示人，敏政亦奇之。忌者妒两人才，因经家富，遂饰成萋菲。言官风闻，劾之，下诏狱，分别谪遣。

光绪本《江阴县志》也说：

徐经，字直夫，同年十五举子之一。与吴门唐寅，并以才名相引重。寅领戊午解，经与俱北上。吴门都穆恶之，蜚语流闻京师，经竟与寅同镌名。归益肆力诗文，著《贲感集》。黄傅赠诗曰："夏商人物徐直夫，周汉以来人世无。穷年对坐不见客，闭户反观恒丧吾。四壁芸香时落蠹，千仓红朽食无鱼。迂余老眼亦空尔，公是公非敢厚诬。"

这一桩科场大案，摧毁了唐寅飞黄腾达的美梦，造成了游戏人生的风流才子，落魄江湖，最后贫病交加，艰苦困蹇，郁郁而终。对富甲一方的江阴徐家，则是影响深远，刻骨铭心，更可能改变了家族对出处仕进的态度。徐经在科场案后，发配回籍，背负着屈辱，生活了八年，逝世的时候才三十五岁。累世积德的徐家，在徐元献与徐经两代的科举进学上，灌注了大量的心血与极高的期望，却收获了早殇的挫折，蒙受了舞弊的屈辱。科场大案成了挥之不去的阴影，笼罩着徐氏家族，一直到徐霞客搜集家族资料，刻石装帙，印成《晴山堂帖》，都可以感到家族对徐经一案的难言之隐。徐霞客请董其昌为自己父母合葬写墓志铭，提供了家族数据，写成《明故徐豫庵隐君暨配王孺人合葬墓志铭》，是这样叙述江阴望族徐家的：

> 澄江以徐氏为望族。自其始祖本中以布衣奉高皇帝命使蜀，辞官归里，朝士高之，赋诗送别，为国初盛事。本中归而出粟赈恤，为德于乡。及其没也，当世名公，若魏文靖、王文端、胡忠安、叶文庄辈，皆哀挽铭诔，语无虚美，大书深刻，传播海内：大江之南，以碑

板不朽先德者，由徐氏风之也。数传而有豫庵隐君，及仲子弘祖，复能修本中之事，以高隐好义称。

表彰徐氏祖先，大大赞扬徐麒（本中）之后，其余一概不提，直接就跳到徐霞客的父亲徐有勉（豫庵），并且称赞徐弘祖（霞客），而赞词则是“复能修本中之事，以高隐好义称”。徐氏家族希望人们看到的是“高隐好义”，是富而好礼，不愿意再提家族曾经努力科举发迹的隐痛了。徐霞客英华早现，陈函辉写的《霞客徐先生墓志铭》说他，“童时出就师塾，矢口即成诵，搦管即成章”，却从不热衷科举，也没有来自父母与家族的压力，反而游踪遍天下，成为一代最伟大的旅行家，想来是跟徐家的科举阴影有关的。

四

按照徐霞客好友陈函辉写的《霞客徐先生墓志铭》与近代地质学家丁文江的《徐霞客先生年谱》，徐霞客的游踪遍布大江南北，深入西南边区，从一六〇七年开始游历山川大地，大概情况如下：

万历三十五年丁未（1607）：游历太湖，登眺东洞庭山、西洞庭山。

万历三十七年己酉（1609）：游历齐鲁燕冀，上泰山，拜访孔孟故里，入北京。

万历四十一年癸丑（1613）：游历浙东，渡海至珞珈山（普陀山），南游天台山、雁荡山、青田石门、缙云仙都峰。

万历四十二年甲寅至万历四十三年乙卯（1614–1615）：游历南京、扬州，以及江南各地。

万历四十四年丙辰（1616）：春初游历黄山、齐云山，夏季武夷山，秋天访浙东绍兴一带名胜，游杭州西湖。

万历四十五年丁巳（1617）：游历宜兴善权（善卷）洞、张公洞等地。

万历四十六年戊午（1618）：秋天到九江，游庐山，遍历五老峰，再游齐云山、黄山，登九华山。

泰昌元年庚申（1620）：游历浙江，溯钱塘江，游衢州江郎山，至福建仙游九鲤湖，观九漈瀑布。

天启三年癸亥（1623）：由徐州、开封，登嵩山，宿少林寺。经潼关，登华山，再翻越秦岭，沿丹江南下，至太和山（武当山）。

天启四年甲子（1624）：是年徐霞客母八十岁，奉母游常州荆溪、句曲（茅山）。

天启五年乙丑（1625）：是年母卒，家居守孝三年。

崇祯元年戊辰（1628）：由浙江江山，越仙霞岭入福建。经蒲城、建宁、延平（南平）、永安、漳平，到漳州。于漳浦访丧母守制的黄道周。再南下广东，访郑鄤于罗浮。

崇祯二年己巳（1629）：游北京，登蓟州盘山。

崇祯三年庚午（1630）：二月访郑鄤于常州，至丹阳见黄道周。七月再游福建，过仙霞岭，经延平、沙县、永安，到漳州。

崇祯四年辛未（1631）：到苏州访文震孟。

崇祯五年壬申（1632）：三月再游天台、雁荡，四月底三游雁荡。七月与黄道周游太湖洞庭山。

崇祯六年癸酉（1633）：自北京赴五台山，游恒山。秋天三访漳州，与黄道周相聚。

崇祯九年丙子（1636）：游历浙江、江西。自此开始万里远征，由浙江经过江西、湖南、广西、贵州，到云南，旅行时间长达四年，至一六四〇年（崇祯十三年庚辰）归返江阴家乡。

崇祯十年丁丑（1637）：游历湖南，登南岳衡山，经永州、郴州，再赴广西桂林、阳朔，经柳州，到南宁。

崇祯十一年戊寅（1638）：由广西入贵州，经独山、都匀、贵阳，再经普安入云南，经曲靖，到昆明，再由昆明西行赴鸡足山。

崇祯十二年己卯（1639）：由鸡足山赴丽江、大理、永昌、腾越，再返鸡足山。

崇祯十三年庚辰（1640）：自云南东归江阴。

崇祯十四年辛巳（1641）：徐霞客卒于江阴。

徐霞客是中国有史以来最为特立独行的探险家，行迹遍历中国大地山川。说到名垂青史的大探险家，一般教科书总会提到汉代的张骞与明代的郑和。前者凿空西域，开辟了丝绸之路，后者漂洋过海，带领明朝海军舰队叱咤在印度洋，抵达东非海岸。张骞与郑和的事迹，昭著史册，开辟东西交通的门户与通道，是历史书上的“伟大的旅行家”“杰出的探险家”。徐霞客能够与他们媲美，也当得起这样的美誉吗?

表面上看，徐霞客作为旅行家或探险家的地位，并非经国之大业，没有改变历史的丰功伟绩，似乎远逊张骞与郑和。但是，我们也不要忘了，张骞与郑和的远游，都是奉了朝廷使命，作为中华帝国的使节，跋涉万里，远渡重洋，执行重大的国防外交决策，是攸关国家安全的任务，不是个人自由意志的行为。徐霞客的游历远行则不同，完全是个人的选择，是个人自由意志的展现，与政府决策丝毫沾不上边，既不是为了领受钦命去开疆辟土，也不是为了招徕远方的朝贡，只是为了满足自己的好奇，为旅行而旅行，为探险而探险，要让自己的身躯体会大地所承受的风霜雨露，让自己的脚掌亲吻山河大地的每一寸泥土与流水，振衣千仞岗，濯足万里流。

不因执行任务，不因奉了钦命，不因外铄的因素，无关国计民生，不求功利，不求闻达，只是从个人的信念出发，为了自己的爱好，追求自己纯粹的兴趣，坚持不懈，这是什么样的心理？是什么样的人生态度呢？这与现代意义的科学家求真、艺术家求美、哲学家探求思辨逻辑、文学家摸索文字的完美秩序，在本质上是否属于同一种精神追求？徐霞客游览山川的认真与执著，以个人的实存为出发点，审视山河大地的容颜，以自己的生命来实践，体验宇宙的奥秘，颠沛必于是，乐趣在其中，仰不愧于天，俯不怍于人，是否接近现代人肯定自我个性的展现？还是远祧庄子逍遥游的精神，超乎世间现实，类似想象的“真人”，可以上天下地，遨游天际？不过，我们绝对不能忘记，徐霞客以游历天下为毕生职志，几乎“上穷碧落下黄泉”，是实实在在的生命实践，一步一个脚印，与庄子飘渺无羁的神游玄想，是完全不同的。

徐霞客身后留下的《徐霞客游记》，记录了他游历的所见所闻所思，是本私人日记，生前并未出版。徐霞客事母至孝，他写下游历日记的初衷，是为了让母亲跟着他的足迹，通过游历者的眼睛，卧游天下。他遵守“父母在，不远游”的古训，母亲在世的时候，主要是游历东南半壁江山，离家的时间不会太长。徐霞客壮游之最，是他西南之行的“万里遐征”，从浙江到江西，经湖南、广西，再到贵州、云南，历时四年，写了十倍于前的游记，却是母亲逝世之后的事。或许他写游记已经成了习惯，白天登山涉水，晚上就在荧荧如豆的油灯下，铺开纸笔，记下每天的经历。他文笔优美，叙事精确，是上好的文学杰作，虽然生前未曾出版，却成了中国文化的瑰宝，应了杜甫怀念李白的诗句：寂寞身后事，千秋万代名。

徐霞客的事迹与他的游记书写，亲朋好友是知道的，也在私下传抄他的游记。他这种只身走天涯的独特行径，是远离人迹的独行侠作风。黄道周十分钦佩徐霞客孑然独立的性格，曾经说他是“孤云独往还”，徐霞客引以为知音，与黄道周一道唱和，按着这五个字赋诗，各写了五首诗。黄道周与徐霞客唱和，还写了不少诗作，其中有一首七言古诗长篇，是崇祯三年（1630）黄道周在丹阳见到徐霞客之后，有感而发。长诗是这么开头的：

天下骏马骑不得，风雪鬐尾走白日；
天下畸人癖爱山，负铛泻汗煮白石。
江阴徐君杖履雄，自表五岳之霞客。
鸢肩鹤体双瞳青，汗漫相期屡不失。
事亲至孝犹远游，欲乞琅玕解夜织。
万里看余墓下栖，担囊脱屩惊乌啼。
入门吹灯但叹息，五年服阕犹麻鞋。
贵人驿骑不肯受，掉头毕愿还扶藜。
自言早岁适雁宕，缒藤级绠穷上下。
天台石梁平如兜，青霞括苍局于掌。
中年复走西钟山，焦饭十日支霜盘；
道逢采药授云餐，帝子欲为歌路难。
匡庐老僧亦下拜，鸡足道人分沆瀣。
磨头豆核石泉茶，夜中日出啸沧海。

听君言下何萧然？引人攀岭扪青天。
所探幽奇既如此，岂有人岳当君怜？
东鲁仲尼去千岁，西羌大禹死何在？
书生抱膝空咿唔，即化乔松安足赖！

诗后有陈仁锡、文震孟、项煜、郑鄤等人的题跋。这几个人的关系非常有趣，陈仁锡是天启二年壬戌科（1622）的探花，文震孟是该科的状元，郑鄤与黄道周都是该科的进士，而项煜则是次科天启五年的进士。曾任天启朝宰辅的文震孟，是文徵明的曾孙，与江阴徐家是世交，也是黄道周与徐霞客的好友，他的题跋说："霞客生平无他事，无他嗜，日遑遑游行天下名山。自五岳之外，若匡庐、罗浮、峨眉、嵾岭，足迹殆遍。真古今第一奇人也。"明确指出，徐霞客除了旅行，不干别的事，也没有其他嗜好，整天栖栖遑遑，足迹遍布名山大川，实在是古今第一奇人。

说徐霞客是特立独行的旅行家，如何突出他在历史文化上的独特性呢？我想了一个词，是徐霞客"用脚思想"。说他用脚思想，其实一点都不夸张，因为他的思想讲究验证，与实证科学的逻辑脉络相近，是和他“行万里路”的经历有关的。陈函辉写的墓志铭说：“霞客不喜谶纬术数家言。游踪既遍天下，于星辰经络、地气萦回，咸得其分合渊源所自。云昔人志星官舆地，多以承袭附会。即江河二经，山脉三条，自记载来，俱囿于中国一方，未测浩衍，遂欲为昆仑海外之游。”明白指出，徐霞客不喜欢无法验证的说法，拒绝相信谶纬方术的迷信传统，难怪三百多年后受到胡适、丁文江等人的推崇，誉为阐扬科学思想的伟大地理学家。

徐霞客实证思想的来源，就是一双走遍千山万水的脚，不管山高路远，不顾艰难险阻，不畏风霜雨露，不怕毒蛇猛兽，一路向前。徐霞客策划西南远游的时候，曾写信给陈继儒，说出他的毕生志愿，就是要用自己的一双脚掌，拼死探知中国山川大地的地理真相。他说：“尝恨上无以穷天文之杳渺，下无以研性命之深微，中无以砥世俗之纷沓，唯此高深之间，可以目摭而足析。”徐霞客思考自己的生命意义，排除了对宇宙奥秘的玄想、对心性精微的探索、对世俗红尘的纷杂诱惑，定位在“目摭而足析”，就是张大游历者的眼睛，用脚来分析思想。

徐霞客用脚思想，与古代大多数知识人不同，却也并不违背中国文化传统。《中庸》就说：“君子之道，辟如行远，必自迩；辟如登高，必自卑。”徐霞客能够行远登高，可算是儒者的最高典范。

原文刊载于《书城》2015年3月号

张岱的冶游与檄文

近来主编一套历史家史景迁（Jonathan Spence）著作的翻译系列，挑选了优秀的译本，从头到尾校订了译文，已经在大陆上出版了两册，《前朝梦忆：张岱的浮华与苍凉》先出，《康熙：重构一位中国皇帝的内心世界》则刚刚上市。先出版的《前朝梦忆》居然热卖，几个月内就已经售罄，而且被传媒界选为年度十大好书之一。出版社当然高兴，重版加印之余，还搜集了各种赞誉与评论，立案存档。责任编辑更是兴奋，把搜集的材料都寄给我看，同时还寄来一些读者的阅读反馈，以及微博上的推荐。有人大力推荐此书，认为译文优雅，但是也提出质疑，说译文有几处用词不当，比如说张岱为结社而写的文章叫“檄文”，说张家孩童的教育多始于“冶游”，这两个词都用错了，尤其是“冶游”，它基本是指寻花问柳。有人质疑译文不当，作为审订的主编，当然必须回应。

真是用词不当，错了吗？也未必。

现代中国人对古代文人雅士的生活形态，特别是晚明沉溺于浮华享乐的生活方式，在思想感情上都十分隔膜。对古人遣词用字及表达方式也很陌生，尤其因为知识体系不同，阅读资料与环境不同，思维的感觉也就格格不入。看到译文描述张岱家庭的成长过程中，居然有“冶游”的情况，张岱为了结社写的文章，居然译为“檄文”，就认定一定是翻译的错误。其实，翻译沿用了张岱本人使用的词语，在晚明的语境中没错，错乱的是时代造成的阅读隔膜，使得现代读者误会了。古人用的词语，今天虽然还是使用同样的汉字书写，但是表达的意涵却可能有了很大的改变。打个比方，日文的汉字词语，经常使用与中文相同的汉字，所表达的意思却有很大的歧义，原因是其间有个时代变化与地域文化的差异，同样的汉字使用起来，就表达不同的意义，使得不同文化环境的读者容易产生误读。晚明文人使用汉字，基本上沿着古文的修辞传统遣词造句，与今天成长于白话文传统的现代读者，修辞传统不同，有着相当大的文字认知差距。因此，古文知识薄弱，不但读不通古书，也经常不了解古人表达词语的习惯，对某些词语产生误解。

为免以讹传讹，我们看看张岱的自述，说他自己成长的过程究竟如何，看看他是否成长于“冶游”的环境。张岱《自为墓志铭》是这么说的：

> 蜀人张岱，陶庵其号也。少为纨绔子弟，极爱繁华，好精舍，好美婢，好娈童，好鲜衣，好美食，好骏马，好华灯，好烟火，好梨园，好鼓吹，好古董，好花鸟，兼以茶淫橘虐，书蠹诗魔，劳碌半生，皆成梦幻。年至五十，国破家亡，避迹山居。所存者，破床碎几，折鼎病琴，与残书数帙，缺砚一方而已。布衣蔬食，常至断炊。回首二十年前，真如隔世。

这是一篇极为著名的忏情文章，也写出了晚明世家子弟不事生产，一味耽情声色的情态。张岱在少年成长期间，喜欢的是精美的屋舍、美貌的婢女、漂亮的书童、鲜艳的华衣、美味的食物等等，凡是吃喝玩乐，尽情发挥“食色性也”的纵欲行为，全都让他乐此不疲。张岱还在《家传》中，讲自己的祖父贬官回乡，“数年间，颇畜声妓”，家中养了许多歌女姬妾。说到自己一家纵欲享乐，是向他舅祖学来的，却青出于蓝，“吾父叔辈效而尤之，遂不可底止。”他的父亲因为身体不好，母亲就让他“造船楼一二，教习小傒，鼓吹剧戏，一切繁靡之事，听先子任意为之”。在这样奢靡的家庭环境成长，张岱根本不必出外去“冶游”，在自己家里就玩得不亦乐乎了。

再说“冶游”一词，在晚明思维意识中，并没有二十世纪以来的强烈贬义。中国古典文学传统中讲到“冶游”，有的是在湖光山色中寻花问柳，享受春暖花开的自然风光，有的是引申意义的寻花问柳，纵情声色男女，但是呈现的心态是及时行乐的欢愉，不同于现代“招妓”带有罪恶感的阴暗心理，清楚意识到自己在做违背法律及道德的行为。《乐府诗集·四时子夜歌》："冶游步春露，艳觅同心郎。"是女子打扮得漂漂亮亮，在春天早晨出游，一门心思都想着可以遇到称心的情郎。宋晏几道《浣溪沙》词："白纻春衫杨柳鞭，碧蹄骄马杏花鞯，落英飞絮冶游天。"也是写的春天出游，穿着帅气的春装，骑着高头大马，落英缤纷，柳絮飘飞，春和景明。可能会遇到明媚的女郎，也未可知，但是绝不是打定主意去"招妓"。明顾大典《青衫记·郊游访兴》："看遍街头万户春，纷纷俱是冶游人，转觉皇都气象新。"满街都是"冶游人"，是去欣赏春天景色的人，寻的是大自然春天的花柳。所以张岱从小的"冶游"，也有很大成分是在自家的庭院中，像贾宝玉那样，玩乐于美貌的婢女与娈童之间，同时徜徉于自然的花柳。

至于为了结社而写"檄文"，是张岱自己说的。现代读者不懂，以为"檄文"一定是讨伐或声讨敌人，那是古文程度有限的缘故。张岱的《琅嬛文集》中有四篇檄文，明确标出文体是"檄"：《征修明史檄》《斗鸡檄》《讨蠹鱼檄》《癸丑兰亭修禊檄》。这四篇檄文，有的是下战书声讨，如《斗鸡檄》与《讨蠹鱼檄》，属于游戏笔墨，对象是斗鸡与蠹鱼；《征修明史檄》与《癸丑兰亭修禊檄》的“檄文”，则是征召同志，召集友朋，共同做一件事情。“癸丑兰亭修禊”，明显是引用王羲之兰亭修禊的典故，召集朋友前来结社雅集，檄文的结尾是：“千里驾，务期有约必来；剡傒船，莫教兴尽而返。先驰青鸟，远致赫蹏；更遣飞奴，遥迎凫舄。谨启。”明明白白的，这篇檄文是为了召集友朋结社而写。

古人对“檄”字的解释，大体上根据汉代的《释名》，但是也有不同的意见。《释名》解释“檄”：“檄，激也。下官所以激迎其上之书文也。”意思是，位低者急切逢迎位高者的文书。清代的毕沅以为，“檄”字在通行的用法是“檄文”，意思是“或以谕下，或以辟吏，或以征召，或以威敌”，也就是在上者对于在下者的晓谕、征召，或是对于敌人的声讨，从来没听过《释名》这种“以下迎上”的说法。研究《后汉书》的专家王先谦，认为毕沅少见多怪，在《释名疏证补》卷六“释书契”之中，特别征引了《后汉书》及《三国志》，提出反驳，指出“檄”的用法有“以下迎上”之意，在古代是十分普遍的。《后汉书·陈寔传》说到陈寔是地方的功曹，向太守提建议，“怀檄请见”。《后汉书·范冉传》写范冉“少为县小吏，年十八，奉檄迎督邮，冉耻之，乃遁去”。《三国志·吕蒙传》提到孙权评论周瑜、鲁肃、吕蒙，说曹操率数十万水陆大军南下，吴国文武群臣无计可施，还有几个人“俱言宜遣使修檄迎之”。王先谦一连举了几个例子，批评毕沅：“此皆下官迎上书文之明证，檄迎之说未可非也。”似乎暗示，“檄”可以是以上示下，也可以是以下迎上。由此可见，古人用“檄”字，比我们今天以为“檄文”只能理解为战书，要宽松活络多了。

现代人对“檄”字的理解，与毕沅相比，定义得更狭窄一些，认定为讨伐敌人的军事文书。这当然也有其道理，因为古人所写的檄文，最著名的是骆宾王的《为徐敬业讨武曌檄》，早已脍炙人口，在清康熙年间都收入《古文观止》当作范文了。因此，稍有点古文修养的，一想到“檄”，脑海中就会浮现“请看今日之域中，竟是谁家之天下”，就是下了战书，要与敌人决一死战。这个“檄”字的主流认识，流传有序，《文心雕龙·檄移》也表示了这个意思。刘勰指出，古代征战所发的文告就是后来所说的“檄文”，而“檄者，皦也。宣露于外，皦然明白也”。也就是发布一篇文告，要人理解得清楚明白。刘勰还说，“凡檄之大体，或述此休明，或叙彼苛虐，指天时，审人事，算强弱，角权势。”但是，刘勰也说到，“又州郡征吏，亦称为檄，固明举之义也。”也就是毕沅所说的“谕下”“辟吏”“征召”的意思。其实，在东汉、魏晋南北朝时期，“檄”作为“征召”之意是极为普遍的。

所以，我们也知道，张岱为了结社而写“檄文”，并不奇怪，还多少带点游戏笔墨的风趣。或许正因为“檄”字多少有点官府公告的含义，假借官府文书的口吻，召集同道中人相聚，语气才能见其佻达，让读者会心，也完全符合张岱文章的风格。

现代读者读古书，想要了解古人的生活情况，发出许多文字词语的疑问，有时是因为时代变迁所造成的隔阂。不过，质疑一下也好，至少可以就此思考今古差异，知道自己原来并不明了古人的生活，也不太清楚古人思维与表达的词语。

诗酒风流余澹心

余怀（1616–1696），字澹心，是明末清初鼎革之际，活跃在江南的著名文士。他诗文都写得好，而且交游广阔，参与复社的各种交际活动，也算是身列当时江南文坛的核心，却在清兵南下之时，遭到国破家亡的惨变，改变了他生命的轨迹。他终生是一介布衣，著作很多，文笔也优美，晚年亲自整理了文稿，多方安排出版事宜，却最终没能刊印诗文集，赍志以终，所以坊间流传的作品不多，最有名的是描绘南京秦淮风月的《板桥杂记》。这本书在康熙年间就已收入张潮编的《昭代丛书》，不久又有尤侗作序的《说铃》本出现，从清朝直至近代，广为流传。书中内容，写的是明末金陵旧院风光，是王孙公子在青楼勾栏行酒玩乐的场合，描绘的人物都是一时的名士与名妓，如钱谦益、吴伟业、龚鼎孳、方以智、陈贞慧、侯朝宗、冒辟疆、夏完淳、姜垓、李十娘、葛嫩、顾媚、董小宛、卞玉京、李香君、寇白门等等，对他们的言行音貌，勾勒得十分传神。

《四库全书总目》列举余怀的著作，只有一种，就是《板桥杂记》，列在梅鼎祚《青泥莲花记》之后，作为“子部小说家类存目”的最后一项，或许还存有鄙视的态度。“提要”是这么写的：“明季世风儇薄，以风流相尚，虽兵戈日紧，而歌舞弥增。怀此书追述见闻，上卷为雅游，中卷为丽品，下卷为轶事。文章凄缛，足以导欲增悲，亦唐人《北里志》之类。然律以名教，则风雅之罪人矣。”评论的口气不甚好，让人得到一种印象，是这本书记载青楼妓院不说，还反映了明末国难当头之时，士大夫不管国家大事，整天泡在妓院里面，征歌选舞，流连诗酒姝丽，是要不得的儇薄世风。文章则凄美秾丽，引人想入非非，徒增悲情，从道德角度来看，余怀沉溺于花街柳巷，散布败坏社会风气的淫词艳语，导致世风日下，是个名教罪人。

《四库全书总目》对余怀的评论，给余怀定了性，影响深远，成了后世对余怀的刻板印象，把余怀看作“国家大事管他娘”的青楼文人，与晚明东林学派人士的清议风标，以顾宪成说的“风声雨声读书声，声声入耳；家事国事天下事，事事关心”，成了鲜明的对比。其实，这种印象不符合历史真相，对余怀是很不公平的。《四库全书总目》所录的《板桥杂记》，是大学士英廉的“购进本”，明列为三卷，应当是后出的《说铃》本，而非最初《昭代丛书》本的原貌。提出这个貌似琐碎版本问题，能说明什么，能还原什么历史真相呢？

首先，《说铃》本《板桥杂记》有尤侗的题记，文章就说，这部书与《北里志》《平康记》是一类的，写的是青楼烟花女子，令人心荡神驰。尤侗题记不见于最初出版的《昭代丛书》本，却影响了《四库全书总目提要》，让后世一直对余怀存有儇薄文人的印象。关于这一点，清人吕堃非常不满，在他的《板桥杂记序》中，特别批评了尤侗：“尤西堂一世才人，以《平康记》《北里志》拟之，陋矣！”吕堃认为，余怀“当鼎革时，剩水残山，潸潸泪眼，祖香草美人遗意，记南曲、珠市诸名姬，述其盛衰，悲其聚散，一寓惓惓故国之思，至一唱三叹。”记述青楼韵事，只不过是文章的表面现象，背后还有更深刻的故国之思，是以传统香草美人书写方式，来隐喻忠君爱国的江湖心怀。在清初文网密织、动辄得咎的时代，余怀对前明衣冠的眷恋，只能藉着描写秦淮风月的盛衰，来发抒隐藏在内心深处的黍离之感。这和同处康熙时代，年纪小他三十岁左右，没有亲身经历改朝换代的孔尚任、洪升，回顾前代历史的天翻地覆，写《桃花扇》、写《长生殿》的幽微心境，有着异曲同工之处，但是又深刻悲痛得多，也就隐晦得更深密。所以，吕堃指出，《板桥杂记》是密码文章，真正说的是怀念故国，后世不知底细，“历百数十年都被瞒过”。

吕堃的看法有其见地，也是有根据的。附在《说铃》本《板桥杂记》的“后跋”，就有余怀本人的感慨，为自己的纤艳文字做了些辩护，认为狭邪之游固然是君子所当戒，但只是小节，并非君子最应当关注的气节大义，“因偶适其性情，亦何害为君子哉！”最后说“知我罪我”，自己无法知道，只能留给后世去评说了。其实，余怀在《板桥杂记》全书的开头，也曾自问，为什么要写这本书？他的回答是“有为而作也”。又问，一代兴衰，千秋感慨，可歌可泣的题材多得很，为什么偏偏要写青楼旧院风花雪月之事？余怀的回答是：“此即一代之兴衰，千秋之感慨所系，而非徒狭邪之是述、艳冶之是传也。”他要写的，是明清变革之际，满清蹂躏汉族文明，金陵衣冠文物的沦丧，江南文采风流的颓败，不能明说，只能隐喻。余怀甚至说得十分动情：“鼎革以来，时移物换。十年旧梦，依约扬州；一片欢场，鞠为茂草。红牙碧串，妙舞轻歌，不可得而闻也；洞房绮疏，湘帘绣幕，不可得而见也；名花瑶草，锦瑟犀毗，不可得而赏也。间亦过之，蒿藜满眼，楼馆劫灰，美人尘土。盛衰感慨，岂复有过此者乎！郁志未伸，俄逢丧乱，静思陈事，追念无因。聊记见闻，用编汗简，效《东京梦华》之录，标崖公蚬斗之名。岂徒狭邪之是述、艳冶之是传也哉！”

余怀所抒发的感慨，在《桃花扇·余韵》中可以找到明确的痕迹。孔尚任藉着苏昆生的唱词，悲叹长桥旧院已成荒草瓦砾，当年的繁华岁月已经消逝难寻了：“问秦淮旧日窗寮，破纸迎风，坏槛当潮，目断魂销。当年粉黛，何处笙箫。罢灯船端阳不闹，收酒旗重九无聊。百鸟飘飘，绿水滔滔，嫩黄花有些蝶飞，新红叶无个人瞧。”悲叹江南沦落的最后一段哀江南曲，选录入中学语文课本，是大家耳熟能详的：“俺曾见金陵玉殿莺啼晓，秦淮水榭花开早，谁知容易冰消！眼看他起朱楼，眼看他宴宾客，眼看他楼塌了！这青苔碧瓦堆，俺曾睡风流觉，将五十年兴亡看饱。那乌衣巷不姓王，莫愁湖鬼夜哭，凤凰台栖枭鸟。残山梦最真，旧境丢难掉，不信这舆图换稿。诌一套哀江南，放悲声唱到老。”《板桥杂记》写成于一六九四年，余怀已经七十九岁，垂垂老矣。《昭代丛书》本出版的时候，也正是孔尚任写成《桃花扇》（1699）的时候。满清入主中国，已经过了半个世纪，天崩地裂的记忆经过时间的淘洗，已经化作相当隐晦的悲怀，似乎只能在秦淮旧院的破落之中，还依稀可以感到故国黍离之情。

假如我们只有《板桥杂记》这一部书，以之作为评定余怀的标尺，或许可以说，余怀自辩的说法只是找借口，为自己沉溺酒色的行为辩护。但是，我们若是细查余怀生平事迹，就会发现，余怀是个有守有为的君子，不受威迫而动摇，不因利诱而变节。他年轻的时候就参与复社的活动，结交了一批青年才俊，藉着秦淮曲院作为活动场所，打击阉党余孽阮大铖。青年时期就享有文名，抱有青云之志，按照常例，应该是仕途得意的。没想到他在一六四二年科举失利之后，接着就遭遇了明清易代的兵燹，天翻地覆，国破家亡，生命的轨迹完全改变。三十岁之后，过的是颠簸流离的生活，先是参加秘密的反清运动，奔波于江南各地与东南海上，达十多年之久。（陈寅恪《柳如是别传》有此说）后来就以遗民身份，卖文为生，一生不曾出仕清朝。

要了解余怀，近年来有不少学者做了文献钩沉的工作，辑录了散失各处的诗文，出版了两种余怀诗文集。一是福建人民出版社的《甲申集，外十一种》（2010），二是上海古籍出版社的《余怀全集》（2011）。虽然还有大量的诗文散佚了，但从这两套书所搜集的丰富诗文材料，我们可以比较全面地看到，余怀的诗酒风流，反映了明末清初士人生活的全貌，有严肃的节操，有认真的追求，也有放恣的玩乐，有无羁的浪荡。假如只抓着一本《板桥杂记》，就断言余怀是个沉迷花街柳巷的儇薄文人，是名教罪人，那未免太过于厚诬古人了。

孟德斯鸠的中国友人

孟德斯鸠是启蒙时期重要的思想家，他的《法意》（另译作《论法的精神》）是十八世纪法国政治哲学的名著，对近代欧洲思想的发展有着重大影响，也成为法国大革命自由平等精神的源泉。他一生写作勤奋，留下大量读书笔记及随感，有许多遗稿到了二十世纪才得到学者的整理，让我们了解了《法意》与《波斯人信札》中的不少材料，特别是关于中国文化与政治制度的看法，都渊源自他早期读书问学的札记。孟德斯鸠的文化视野相当宽广，对中国文化也力图了解并勤于追索，可是格于时代的限制，资料来源有限，主要是天主教传教士的一些记录。好在他青年时期问学巴黎，在一七一三年离开巴黎之前，认识了一个中国友人，即是来自中国福建莆田（原为兴化）的黄日升

（教名黄嘉略，Arcade Hoang, 又作 Arcadio Hoange），让他亲身接触了颇有学养而且见多识广的中国人，得到有关中国的第一手材料。

黄日升（嘉略）于一六七九年出生在兴化（今莆田）的一个天主教家庭，父母都是虔诚的天主教徒，从小跟着天主教传教士长大，除了学习中国经书知识，还通晓拉丁文与法文。他的中国学问虽然难登大雅之堂，却也达到一般知识人的水平，而且在中国到处传教，走南闯北，见闻广博。他在一七〇二年跟随巴黎外方传教会的梁弘仁（Artus de Lionne, 1655–1713）离开厦门，前往罗马，处理礼仪之争的相关事宜。他们在一七〇三年抵达罗马，多次觐见教皇，并且在教廷停留了三年之久，于一七〇六年才回到巴黎。在一七一三年与孟德斯鸠交往之前，黄日升已经在巴黎生活了六年多，并且离开了教会，娶了一位法国女子为妻，成为巴黎的居民了。

在一九五〇年巴黎出版的《孟德斯鸠全集》中，收了一篇文稿《我与黄先生的谈话中关于中国的若干评述》，其中记述了黄日升谈论中国的资料，以及孟德斯鸠对中国文化与制度的评论。这篇谈话另有一份更早的手稿抄件，藏在波尔多图书馆，抄写于一七一三年，全文长二十七页，凡有关中国天文地理、历史文化、政治社会、风土人情，无所不谈。法国学者 François Weil 将孟德斯鸠的问题归纳成十三条，清楚反映了他对中国文化与国情，充满了好奇与探索精神：

一、中国人有哪些宗教和信仰？二、听说对罪犯施行酷刑，究竟有哪些酷刑？三、应该如何看待中国人的迷信？颜珰（Charles Maigrot, 1652–1730）因此而遇到什么麻烦？四、中国人特有的习俗，诸如坟墓和衣着等。五、家产分割。六、汉语。七、汉字。八、等级：官员和文人。九、中华帝国的历史为何如此悠久？过去与现在是同一个帝国吗？十、如何看待（中国的）政制？十一、中国人真的懂得一切科学吗？十二、中国人的礼仪。十三、从中国的典籍看中华文明和中华民族的古老，这些典籍中记述的洪水、日食等事件与西方世界对同类事件的记述是否一致？

可以看出，孟德斯鸠后来在《法意》中对中国专制制度的批评，以及民间社会逆来顺受、缺乏人格荣誉的看法，有不少“第一手”的实证资料是来自笃信基督教的黄日升的亲口传述。

二〇〇七年设在牛津的“伏尔泰基金会”与那不勒斯的“意大利哲学研究所”出版了最新的《孟德斯鸠全集》，因为误信一位西班牙学者 Miguel Benitez 的研究，质疑黄先生的知识水平不能跟孟德斯鸠对话，而黄的巴黎日记中也从未提过孟德斯鸠之名，两人并不相识，文稿作者应当是一位欧洲汉学家，所以，把这篇文稿剔除在孟德斯鸠著作之外。近来北京社科院历史研究所的许明龙特别撰文驳斥，指出 Benitez 的谬误，其中包括连孟德斯鸠继承伯父爵位之前不叫孟德斯鸠男爵，都没搞清楚。黄的日记中，至少有七八处提到孟德斯鸠的原名 la Bray，而且记录得相当明确，因此，孟德斯鸠有中国友人黄日升，并从他那里得到大量关于中国的知识，是毫无疑问的。新版《孟德斯鸠全集》剔除《我与黄先生的谈话中关于中国的若干评述》一文，只是基于一个当代汉学家的猜测，也太过孟浪。

此外，史景迁的《大汗之国》（*The Chan's Great Continent*）一书第五章，也提到孟德斯鸠的这篇文稿，并涉及黄先生对孟德斯鸠的影响。可惜中文译者不知道上述史实，把 Hoange 译成了“宏安”，也湮没了一个小人物对世界思想史上的贡献。

世人欲杀郭嵩焘

晚清频遭列强侵略，被打得鼻青脸肿，才被迫开始推行洋务，希望“师夷之长技以制夷”，以免继续割地赔款，丧权辱国。然而，从当时的政治体系与权力结构来看，洋务的推动与实施，只能在军工与商务方面进行低层次的技术操作，盖盖兵工厂，制造火轮船，招商兴办实业之类。一旦涉及政治制度的改革开放，就会侵犯当权者的利益，也使得心态保守的统治阶层感到不安，觉得中华天朝世代尊奉的“天不变，道亦不变”的世界观受到挑战，维系人心的孔孟之道遭到玷污。学习西方的军事与经济，是为了富国强兵，勉强可以接受。学习西方的文化思想、政治参与乃至于宗教信仰，则从根本上颠覆了中国人所信奉的天经地义，篡夺了一贯正确的意识形态，是绝对要不得的。因此，“同治中兴”

郭嵩焘（1818–1891）

之后开始推行洋务的人，经常被人标为“汉奸”，甚至辱骂他们宣扬的改革言论为“卖国”。

湖南人郭嵩焘（1818–1891）就是当时比较激进的洋务派，思想开放，对西方文化充满了学习的兴趣，而且认为，在外交方面要知己知彼，“以理自处”。一八七五年英国驻华使馆的翻译官马嘉理在云南被杀，引起外交纠纷，清廷只得派钦差大员到英国去“通好谢罪”，就选了郭嵩焘。这个任务，在当时人的眼里，是个丧权辱国之举，而担任这样的职务，当然就成了如假包换的“汉奸”。试想，大清是堂堂的天朝大国，自有家规国法，岂容洋鬼子在中国内地随便出入？洋鬼子自己不检点，跑到云南边陲去找死，死了不是活该吗？凭什么威胁中国加开通商口岸，逼得天朝派钦差大臣去道歉？郭嵩焘顾全大局，接受任命，就有人作了侮辱性的对联，在当时广为流传："出乎其类，拔乎其萃，不见容尧舜之世；未能事人，焉能事鬼，何必去父母之邦。"这是站在儒家的道德高地上，讽刺他当汉奸当得"出类拔萃"，不配生活在神州大地，更不能见容于今天如此光荣伟大的尧舜之世。连父母之邦的人间事情都处理不了，居然还要离开祖国，到鬼子国度去处理鬼子事务，这种人还是中国人吗？担任两江总督的刘坤一，算是比较开明的地方大员，都曾批评郭嵩焘："未审何面目以归湖南，更何以对天下后世？"

郭嵩焘当然不忿这种来自保守派的冷箭，因此也曾犹豫，想要辞掉这份差使。看看《郭嵩焘日记》，光绪二年（1876）旧历二月初七，有人替他占卜出洋吉凶，起了一课，结果是："大凶。主同室操戈。日在昏晦中。势且不能成行，即行亦徒受蒙蔽欺凌。尤不利上书言事。伴侣僮仆，皆宜慎防。"总之是个下下的凶卦，前途凶险，动辄得咎。可以想见，郭嵩焘的心情一定是乌云密布，前景黯淡。然而，他最后还是勉为其难，赶鸭子上架，作为钦差大臣，出使英国。《郭嵩焘日记》九月十五日，记载出使欧洲之前觐见慈禧太后，领请懿训的对话。慈禧要他“任劳任怨”，“到英国一切当详悉考究”，最后跟他说：“汝心事朝廷自能体谅，不可轻听外人言语。他们原不知什么。”慈禧的口气是安慰他，表示朝廷的支持，完成出使任务，好好用心办事，别理会外面的攻讦。

其实郭嵩焘相当了解处境的凶险，因为他对洋务持开放态度，见解比较激进，时常批评保守派的封闭颟顸，又不肯韬光养晦，得理不饶人，很容易落人口实，遭到攻讦参劾。他在洋务上的开明态度，由来已久。一八六〇年英法联军之役，洗劫并火烧圆明园，固然显示了英法联军的野蛮跋扈，也暴露了清廷在外交处理上的无知与颟顸。郭嵩焘在次年七月的日记中，因为涉及与洋商的交涉事务，发现地方督抚官员害怕处理洋务，一味“推拖拉”，完全不想办好分内工作，不禁大为感叹：“吾尝谓中国之于夷人，可以明目张胆与之划定章程，而中国一味怕。夷人断不可欺，而中国一味诈。中国尽多事，夷人尽强。一切以理自处，杜其横逆之萌，而不可稍撄其怒，而中国一味蛮。彼有情可以揣度，有理可以制服，而中国一味蠢。真乃无可如何！”好在他写的是日记，不是公开的言论，否则，让当时人知道他骂中国政府色厉内荏，既怕事又诡诈，既蛮横又愚蠢，还不知会如何对付他呢。

郭嵩焘出使英国的时候，已经年近六旬，基本达成任务，转任驻英公使，却不断受到参劾攻击，最后只好辞官回乡。然而，他虽然仕途蹇困，倒切切实实执行了慈禧太后“到英国一切当详悉考究”的懿旨。他的《伦敦与巴黎日记》，详细记载了他的见闻，对英国政治社会制度的运作与源流作了深入观察，巨细靡遗。最值得我们关注的，是他对西洋文化进行的学理探索，采取完全开放的学习态度，不但要弄清“巴力门”（Parliament）的民主代议制度，还要从西方历史文化的发展脉络中汲取经验。他认真学习欧洲的历史，从古埃及到希腊罗马。厘清基督教的始源，从摩西、耶稣到教会的成立与演变。读他的日记，最让人感动的是他的勤奋，每天记录考察学习数据之多之细，经常超过万字，令人瞠目。我们可以看到一位悉心向西方学习新知的老学生，踏踏实实，毫无矫饰，一点一滴地进入西方现代知识领域。

他在光绪五年（1879）二月回国途中，日记载录学习西方历史文化的读书心得，并对希腊哲学作了一些有趣的笔记："言性理之言，尤莫多于希腊。"他提到一个"退夫子"，说："退夫子论人伦、治术、文章、算法、天文、地理，亦言天地万物从水火出来。"退夫子是谁呢？显然是古希腊早期的哲学家泰勒斯（Thales，约公元前624–546)。泰勒斯试图藉助经验观察和理性思维来解释世界，提出了水的本原说，即"万物源于水"。他还说到一个"毕夫子"，说"毕夫子尤精音乐、天文，论行星转动远近、大小、快慢，有一定声音节奏"。那么，毕夫子又是谁呢？毫无疑问，是毕达哥拉斯（Pythagoras，公元前580至公元前570之间–约公元前500)，古希腊哲学家、数学家和音乐理论家。毕氏曾用数学研究乐律，由此产生"和谐"的概念。

对于古希腊三大哲学家，苏格拉底、柏拉图、亚里士多德，郭嵩焘也在笔记中有所记录。说苏格拉底："有琐夫子名琐格底（苏格拉底），爱真实，恶虚妄，言学问是教人有聪明、德行、福气，作有用之事，教别人得益处。"说柏拉图："有巴夫子（柏拉图）言凡物有不得自由之势，论神有三位：头一位是自有的，称为'一'者，亦称为善者；第二位从'一'出来，称为'道'，是创造世界的；第三位天地万物之精气，是从'道'出来的。皆在耶苏四五百年前。"说亚里士多德："巴夫子有一学生，为亚力山太（亚历山大）先生，名亚夫子（亚士多里德），言学分里学、外学，里学是奥妙的道理，外学是伦常、治术、文章。言天地万物原来的动机就是神，这个动机不能自立，有一个自然之势，教他不得不然。"郭嵩焘的记述虽然简短，却大体上确当，尤其是解释古希腊的哲学概念，他使用的语言不是中国传统义理的思辨话语，而是混杂了口语、中国传统概念以及现代西方概念的新式话语，十分发人深省。

郭嵩焘从英国回来之后，一直在家乡赋闲，想来有点落寞，但却坚信自己对世界的认识超越时代，历史会还他一个公正的地位。晚年有“戏书小像诗”：“傲慢疏慵不失真，惟余老态托传神。流传百代千龄后，定识人间有此人。世人欲杀定为才，迂拙频遭反噬来。学问半通官半显，一生怀抱几曾开。”虽然点出自己性格有些不合时宜之处，但自我矜高，傲气凌云，不把当时人看在眼里，而且预言，千秋万代之后，人们一定会发现他是先知先觉之士。这首诗用典，出自杜甫怀念李白，一是《赠李白》中的“飞扬跋扈为谁雄”，二是《不见》中的“不见李生久，佯狂殊可哀。世人皆欲杀，吾意独怜才”。

晚年的郭嵩焘虽然官场寂寞，遭到世人毁谤，所幸没有面临杀身之祸。比起百年之后误落尘网的有识之士，生活在晚清，似乎还幸运一些。

原文刊载于《书城》2012 年 4 月号

刘光第的故事

根据梁启超的《戊戌政变记》，戊戌变法发生之时，谭嗣同和康有为、梁启超的处境类似，有机会流亡到国外，但他下定决心，要以自己的鲜血来唤起国人："各国变法无不从流血而成，今日中国未闻有因变法而流血者，此国之所以不昌也。有之，请自嗣同始。"他在狱中题壁作诗，现在流传的版本是梁启超提供的："望门投止思张俭，忍死须臾待杜根。我自横刀向天笑，去留肝胆两昆仑。"浩气磅礴，视死如归，显示出为国家为真理牺牲的英雄气概。虽然有学者研究，说这首诗其实经梁启超改动，而谭的原诗是："望门投止怜张俭，直谏陈书愧杜根。手掷欧刀仰天笑，留将公罪后人论。"不论谭嗣同题诗的原貌如何，他拒绝出逃，决心流血牺牲，在狱中题诗，表明自己的心迹，是毋庸置疑的。

遭到杀头的戊戌六君子，个个都是青年才俊，也都赞成变法改革。然而，他们会成为慈禧集团的眼中钉，非置之于死地不可，化作抛头颅洒热血的改革英烈，原因是不同的。谭嗣同视保守集团为死敌，甚至游说袁世凯去发动兵变，走的是以死相拼的激烈路线，慈禧当然容他不得。康广仁是康有为的堂弟，抓不到为首的“元凶”康有为，逮捕他弟弟，也算解恨。其他几位君子，按说罪不至死，则是杀鸡惩猴式的“株连”，杀给其他同情康梁变法的大佬们看的。刘光第就自以为行事光明坦荡，没想到下场是杀头。他与谭嗣同、杨锐、林旭，受到光绪帝赏识，授予四品卿衔，军机章京行走，合称“军机四卿”，参与维新新政，成了他流血弃市的罪名。由此，也可以推知，戊戌六君子遭到横逆之时，想法并不一致，对慈禧太后的反扑，对政治斗争可能导致的后果，也有不同的认识。

从逮捕到处死，六君子在狱中关押了四天，分别关在两间囚室：谭嗣同和杨锐、杨深秀关押一室，刘光第和林旭、康广仁关在另一间囚室。关押期间，刘光第以为自己光明磊落，一切按章办事，没有任何的非分叛乱之想，只要经过正规的审讯，就会还他清白，大不了是丢官归乡。康广仁因受康有为牵连入狱，感到又是惊恐，又是委屈，据说在牢房里失声痛哭："天哪，哥子的事，要兄弟来承当。"林旭年轻气盛，听他嚎哭，笑不可止，刘光第则安慰康广仁，以为罪不至死。

刘光第（1859–1898），字裴村，四川富顺县赵化镇人。出身贫穷家庭，父亲早死，在寡母的严厉管教下，发奋读书，二十三岁中举，次年（1883）连捷中进士，年方二十四岁，授刑部主事一职，可谓意气风发。他在刑部工作，奉公守法，清廉耿直。或许是因为他的性格与经历使他认为，大清有祖宗制度，有刊宪成法，他虽然身陷变法造成的政治动荡，却罪不至死，所以在狱中还泰然自若，读朱熹著作与《周易》。他这种笃信儒家道德的书呆子心态，做梦也没想到政治斗争的残酷，为了夺取政权，玩弄政治的人都是心狠手辣，血流漂杵尚不为惜，根本不管祖宗成法的。

刘光第（1859–1898）

梁启超为刘光第作传，说刘“性端重敦笃，不苟言笑，志节崭然”。还说：“变既作，四卿同被逮下狱，未经讯鞫。故事，提犯自东门出则宥，出西门则死。十三日，使者提君等六人自西门出，同人未知生死，君久于刑部，请囚狱故事，太息曰，‘吾属死，正气尽。’闻者莫不挥泪。”这里说到刘光第熟悉法律程序，还在狱中等着审讯，没想到未审先判，一纸上谕就夺去了六条性命，让他感叹不已，觉得法制荡然无存，天地丧失了正气。

高楷的《刘光第传》说到行刑之日：“是日刑部官吏以会讯绐诸人，诸人不知。君出门，诧曰，‘未讯而诛，何哉！’命跪听旨，君不可，且曰，‘祖宗例，临刑呼冤者，即盗贼，提牢官必代陈堂上官，请复讯。未讯而诛，我辈纵不足惜，如国体何？’堂上官不应。再言之，则曰，‘我奉命监斩耳，他何知。’皂役捺君跪，君崛然。同狱者皆无言。杨君锐曰，‘裴村跪，跪，遵旨而已。’君乃跪。就西市时，神气充夷，淡定如平日。行刑后，身挺立不仆。观者惊叹，咸焚香罗拜，谓刘君不死矣。”到了行刑之时，刘光第还是坚持法律程序，倔强不屈，站在正义与道德的高地，保持了传统士大夫的尊严。

刘光第遇难之后，旅京的四川同乡把他的灵柩寄放在莲花庵内，吊唁的人很多，甚至有许多人专程从外省前来，以表哀思。人们看到他家十分穷困，纷纷捐款赠物，有位不具名的吊唁者，留下银子百两而去。灵柩从北京运回家乡，四川富顺的父老乡亲为他举行了一场盛大的公祭。公祭备极哀荣，完全不顾刘光第是被朝廷以叛逆罪名杀头的，好像是乡民对清廷的一场示威行动。载运刘光第灵柩的船只从水路进入四川富顺，沿江有百姓纷纷路祭。从怀德镇到赵化镇的最后一程，溯江而上，加入到拉纤队伍的乡人多达数百。腊月初八日，灵柩抵达赵化镇，公祭刘光第的活动便开始推向高潮。据地方史志说："大炮九响，鞭炮齐鸣，家家披麻戴孝，哭声响成一片。在两匹超长白布的围绕下，家乡父老牵引灵柩，绕行全镇一周。游毕，停放于隆兴寺——这里距刘光第早年读书的学堂仅数步之遥。初十晚，公祭仪式正式举行，秀才蓝瑞图先用悲怆的声调朗诵了文天祥的《正气歌》，接着宣读了祭文。"祭文是这么说的："彼苍者天，忠义何罪？歼我哲人，邦国其瘁。哀我民思，罔知所屈。汉唐遗秽，邦国其坏。沟壑能填，白刃已蹈。强固曰命，正气浩浩。生而为英，死明众志。光被四表，功流万世。"

刘光第在历史上不是个轰轰烈烈的革命英雄，也没有想过推翻清廷，只不过参加了变法维新，居然惨遭极刑，身首异处。慈禧太后以霹雳手段想要制止变革，杀了戊戌六君子，然而，清朝苟延残喘，却熬不过时势变化，十三年后，辛亥革命爆发，两千年的帝制从此告一终结。

老虎尾巴

庚寅年尾声，腊月二十三灶王爷上天言好事，再来就是年关与立春，进入兔儿年了。虎年的结尾，当然是老虎尾巴，不禁让我想到一些文学典故。

首先想到的是《水浒》，第二十三回“景阳冈武松打虎”，说到武松喝净了“三碗不过冈”，上得景阳冈，酒力发作，正想在乱树林里睡觉，突然就发起狂风，跳出一只吊睛白额大虫。接着是这么一段描写：“武松见大虫扑来，只一闪，闪在大虫背后。那大虫背后看人最难，便把前爪搭在地下，把腰胯一掀，掀将起来。武松只一闪，闪在一边。大虫见掀他不着，吼一声，却似半天里起个霹雳，震得那山冈也动，把这铁棒也似虎尾倒竖起来只一翦。武松却又闪在一边。原来那大虫拿人只是一扑、一掀、一翦；三般提不着时，气性先自没了一半。”描绘老虎尾巴像铁棒似地竖起来，活灵活现的，犹如李小龙手中的三节棍，一翦下来，对手就会皮开肉绽。扬州评话《武十回》说老虎尾巴的威风，“如钢鞭相似，扫到你这个人的腰，腰断；扫到你这个人的腿，腿断。”谁知遇上了清河县的武二哥，老虎尾巴全不管用，反倒被武松醋缸大的拳头打得一命呜呼。武松打虎，成了脍炙人口的故事，不但评话说书讲，戏曲舞台演，还选入中小学语文课本，变成了文学教材。

“老虎尾巴”在五四新文学中扮演了完全不同的角色，是一九二三年鲁迅与弟弟周作人失和后，搬出北平八道湾四合院，在阜成门内西三条购置新居，设计装修的书房。孙伏园追悼鲁迅的文章里就说到“先生的工作室老虎尾巴”，并说鲁迅在这里惨淡经营“鞭策全民族往前猛进的伟业”。有一本许钦文的《在老虎尾巴的鲁迅先生》，也回忆鲁迅当时读书写作的地方，是在三间正屋的后面，中间凸出来的房间。鲁迅曾指着那凸着的地方说：“这一间小房子，在北京是叫作‘老虎尾巴’的；从整排房屋看来，这好像是伏在地面上的老虎拖出的尾巴，所以叫作老虎尾巴。”

鲁迅的“老虎尾巴”并不只是工作室，也是他接待朋友，高谈阔论的场所，而且还在这里发生了旖旎浪漫的爱情故事。许广平在一九四〇年回忆，她在一九二五年四月，第一次到老虎尾巴去拜访鲁迅，见到的是一所三开间四合院式的房子，“走进黑漆的大门，经过点缀着两三棵枣树之类的不很宽大的院子，朝南就是三开间，特别的却是当中的一间后面还紧接着像上海普通的亭子间大小的一间房子，那就是……‘先生的工作室老虎尾巴’”。

许广平在老虎尾巴见到她崇拜的老师，成了入室之宾，不禁遐想蹁跹，回去就给鲁迅写了封长信。《鲁迅景宋通信集》收集了《两地书》的原信，许广平四月十六日晚上写的信中，十分亲昵地自署“小鬼”，把初访“老虎尾巴”，称为她的“探险”，亲眼见到了鲁迅的“秘密窝”：

> “秘密窝”居然探险（?）过了！归来的印象，觉得在熄灭了的红血的灯光，而默坐在那间全部的一面满

镶玻璃的室中时，偶然出神地听听雨声的滴答，看看月光的幽寂；在枣树发叶结果的时候，领略它风动叶声的沙沙和打下来熟枣的勃勃，再四时不绝的“个多个多”“戈戈戈戈戈”的鸡声，晨夕之间，或者负手在这小天地中徘徊俯仰，这其中定有一番趣味，是味为何？——在丝丝的浓烟卷中曲折的传入无穷的空际，升腾，分散，是消灭！？是存在！？（小鬼向来不善推想和描写，幸恕唐突！）

看了鲁迅的住处与思想写作的书房，觉得自己已经进入了鲁迅的内心世界，又动情地冥想，鲁迅一个人独处室中，在灯下写作的时候，听雨声淅沥，看月光幽寂，是什么样的况味？写这么封信，当然是在告诉收信者：我在想你孤独的时刻做什么，想什么？你看到什么，听到什么，想着什么样的伟大意念？没点出来的是：我在想你，你也想我吗？

鲁迅这样的聪明人，难道读不出许广平的弦外之音？窈窕淑女，君子好逑。有女怀春，吉士诱之。接到许广平的信，看她将室内及后园都作了仔细的研究与描述，遂在四月二十二日回信的时候，借着师生问答对话的套路口吻，假借老师之名，“试出一题，加以考试：我所坐的有玻璃窗的房子的屋顶，似什么样子的？”这当然是接着许广平的挑逗，施展“吉士诱之”的手段，继续探索两人对“私空间”的兴趣，你问我答，我问你答，若即若离，欲擒还纵，一来一去，好像跳阿根廷探戈舞似的。

许广平接到鲁吉士的回信，那个高兴啊，真是笔墨难以形容。她接到信马上就回，而且回信篇幅之长，就可以想象，这个情窦初开的少女已经一头扎在自己构筑的美丽而又浪漫的爱情世界里了。这封四月二十五日夜里写的信，若是用当时通用的八行笺，即使是字体娟秀细小，至少也要写上十几页。信里先讲公事，先说读了什么书报，有什么感想，然后就转入正题，回答鲁吉士老师出的题目了。可又不肯直截了当写答案，先要发阵子娇（许广平是广东人，应该是“发姣”）。说“考试尚未届期呢！本可抗不交卷，但是考师既然提前，那么现在的答案完了，到暑假时就可要求免试——如果不及格，自然甘心补考——”需要回答的，只是老虎尾巴的屋顶是什么模样，可是除了前面来上一段发狡的序曲，她所给的答案之长，显然是继续弹着弦外之音。知我者谓我心忧，不知我者谓我何求？听得懂的，就听到天籁一般的情歌，像季尔妲（Gilda）在《弄臣》第一幕第二景里唱的“听到他的名字，就让我心动”（Caro nome che il mio cor）：

那“秘密窝”的屋顶大体是平平的，暗黑色的，这是和保存国粹一样，带有旧式的建筑法，在画学中美的研究，天——屋顶——是浅色的，地是深色的，如此才是适合，否则天地混乱，呈不安的现象。在“秘密窝”中，也可以说呈神秘的苦闷的象征。靠南虽然有门口，因为隔了一个过道的房子，所以表现暗的色彩，左右也不十分光亮，唯有前面——北——一大片玻璃，这似什么呢？光的一部分就似喇叭口，其余那上下左右和后面就是喇叭管，后面——南——有点光线，喇叭的小口——发音机处——那面横断之（处）亦有光线，从前后沟通之，这是什么解释呢？

许广平假拟风水先生的口气，给鲁吉士老师算起卦来了：

我摆起八卦阵，熏沐斋戒占算一下吧！卦曰：世运凌夷，君子道消，逢凶化吉，发言有瘳。解曰："喇叭之管，声带之门，因势利导，时然后言，夫人不言，言必有中。"这是南无阿弥陀佛救苦救难观世音菩萨亲降灵签，适合于这"窝"的佳兆呢，还是这"窝"的风水好，发生这个应运灵馨的《莽原》呢？那不在本答案之内，就此结束。对孤寂中写作的鲁吉士来说，谁是前来"亲降灵签"的"南无阿弥陀佛救苦救难观世音菩萨"呢？"佳兆"又是什么呢？看来这个卦解得非常蹊跷，只有局内人才能听出玄机。

当时没有狗仔队，没人去天天刺探别人的私生活，我们只好当事后诸葛亮，根据历史事实的后来发展，断定鲁迅的工作室老虎尾巴，除了诞生了著名的散文诗集《野草》、小说集《彷徨》中的大部分作品，杂文集《华盖集》《华盖集续篇》以及《朝花夕拾》《坟》中的大部分作品，共计二百多篇，也见证了一段动人爱情故事的开端。

不过，说到算卦，“老虎尾巴”倒还真有个现成的易卦。《易经·履卦》：“履虎尾，不咥人，亨。”意思是，小小心心跟在老虎尾巴后面，谨谨慎慎地走，老虎就不会反过身来吃人，运道亨通。要是没有武松的本事，在老虎尾巴后面，还是得小小心心，即使有了旖旎浪漫的情事，也得戒慎谨饬，以免旁人嚼烂了口舌。

《易经·履卦》的“履”字，在先秦文化思维中是充满了危机意识的。《诗经·小雅·小旻》：“战战兢兢，如临深渊，如履薄冰。”很清楚地表明了极端危险的处境，一失足成千古恨，不小心就会丧命的。履卦的象辞：“上天下泽，履，君子以辩上下，定民志。”由卦象来看，是上干下兑，上天下泽，所以程颐的《周易程氏传》说，“天在上，泽居下，上下之正理也。人之所履当如是，故取其象而为‘履’。”说的是，一个天上，一个泽下，尊卑有别，所有的人都要认清自己的地位，循规蹈矩，小心谨慎地走在世上。惠栋的《周易述》顺着这个脉络，讲得更清楚：“《荀子·大略》曰：‘礼者，人之所履也。’失所履，则颠蹶陷溺。所失微而其为乱大者，礼是以取义于虎尾也。”经过后世儒家的增饰，履卦讲的“履虎尾”就成了“礼”的根本，是人人都要循规蹈矩的基本原理。

其实，推测《易经·履卦》的原始意义，应该就是，人类生活在丛莽开辟之时，到处都是洪水猛兽，危机四伏，处境非常危险，一不小心就会被猛兽吃掉。跟在老虎尾巴后面，小心翼翼地行走，不被老虎吃掉，真是大吉大利，运道亨通。

虎年过了，进入兔年，不必跟着老虎尾巴，蹑手蹑脚行走了。

原文刊载于《书城》2011年3月号

优柔寡断的夏济安
——读《夏志清夏济安书信集》(卷一)

一

夏志清过世之后，夫人王洞整理他与兄长夏济安的往来书信，从一九四七年到一九六五年共六百多封。整理数据并输入计算机，工作量极大，费时费力，很难在几年内完成编辑工作，于是求助于王德威。王德威介绍了苏州大学的季进，带了一批研究中国近现代文学的年轻人，打字编注，很快就由台湾联经出版社印出了第一卷——一九四七年到一九五〇年的一百二十一封书信。

近来在书店看到此书，买了一本仔细阅读，读得兴味盎然。其中最有趣的，当然是兄弟两人谈女人，特别是夏济安仔仔细细描述他对恋爱与婚姻的看法，以及追求女人过程中的自恋自责与心理挫折过程，让人联想到普鲁斯特《追忆逝水年华》中写斯万的处境。夏济安这种赤裸裸展示内心欲望的需求，并以极其冷静的理性分析来叙述感情受挫的过程，读起来像是读弗洛伊德心理分析的个案，令人唏嘘。这也可以见证亲人之间私密信件作为史料的重要，透露了最真实的内心感受，毫无掩饰，吐露平常羞于启齿的感情真相。

二

我不认识夏济安先生，但似乎又很认得他，还不只是在中学时读过他主编的《文学杂志》，对他在台湾倡导现代主义有一种模糊的景仰之情。我会不顾父亲反对，执意去读外文系，以人文研究与文学创作为终身职志，绝对与他的倡导有关，因此，他还是我进入文化领域的引路人。我考上台大外文系那年，他早已离开台湾，就在那一年逝世于美国加州；但是，他似乎一直环绕在我生活的周边，若即若离的，像原始部族中的巫师长老，在遥远的山岗上，每到夜晚乌云密布的时候，就点起一盏灯，扑朔迷离的，好像在召唤年轻的心灵，看，文字有魔法，信者得永生。在台大读书的时候，经常从一些师友口中听到各种对他的赞誉与惋惜，赞誉他对文学的艺术敏感与睿识，惋惜他流落美国，为五斗米折腰，做一些历史的研究，却又不幸英年早逝。我到美国留学，读到他的《黑暗的闸门》，觉得他批评二十世纪三十年代左翼文人的激情与冒进，有更深层的人性思考，对躁动在革命潮流中的纯洁心灵，往往要面对血污的人生处境，最后陷入悲剧下场，显示了深沉的哀悼。

在美国认识了许多直接受教于夏济安的学长，如丛苏、庄信正、白先勇、李欧梵、陈若曦等，听到更多夏先生命途多舛的故事；特别是他多愁善感，纠缠于感情世界的纷扰，分不清究竟是自己自作多情，还是意中人心有灵犀，经常作茧自缚，春蚕到死丝方尽。学生说起老师在美国的伤心事，总是有点顾忌，说得云山雾罩的，好像童话故事里勇敢忠诚的武士，遇到了圣洁的月光少女，为她鞠躬尽痒死而后已，而少女的月光原来并非圣洁，而且阴晴圆缺不定。我本将心托明月，谁知明月照沟渠，唉，我们这位浪漫又腼腆的老师，命运弄人啊。我每次听学长感叹，就不禁想到，夏先生是生错了时代的贾宝玉，在二十世纪现代主义的情欲浪潮中，还没经过警幻仙姑的指点，就在情天欲海里没了顶。

读《夏志清夏济安书信集》（卷一，1947–1950），发现夏济安从来就有贾宝玉情结，而且是糅合了传统的贾宝玉与带点现代性的哈姆雷特，有着无尽的浪漫情怀，却又不断犹豫自责，徘徊在情欲与道德理性之间，整天在那里 to be or not to be, to do or not to do。从女人的角度来看，他心细如发，绝对温柔体贴，是可以娓娓谈论华兹华斯、拜伦、雪莱的顶级知性上海男人。做朋友很好，假如他是同性恋就更好，还可以谈谈涂什么颜色的指甲油，戴什么样的发夹来配紫色的盘花扣，到哪一家咖啡馆去喝英国下午茶。可惜他不是，他是个对女人有兴趣的现代贾宝玉，他会动情，他有色欲，他更想结婚。

实在是麻烦得很。他在北京大学教英文，爱上小女孩董华奇，觉得自己找到了梦中情人，想跟她结婚，至少订定婚约。可是，董华奇比他小二十岁，年龄差距大是个问题，不过，更大的问题是，董小姐才十三岁，所以，他犹豫加惭愧，实在难以启齿，无计可施，只好通过写信，吐露给身在美国的弟弟夏志清。夏济安的行为，放到现在，就不是贾宝玉那么浪漫了，绝对是执法机关要抓起来的恋童癖。

他后来又遇到了一个年龄比较相当的女大学生刘璐，开始积极追求，好像颇有进展。可是，他满心还是想着董华奇，给夏志清的信中说："我假如同别人结婚，她一定非常痛苦，我认为她很有点像林黛玉，刘璐则像薛宝钗（并非故作多情，我真有此感）。两个人我得了任何一个，我都是很幸福的。只要有董华奇，刘璐的事成功不成功，我并不怎样关心。"看来贾宝玉终究是爱林黛玉的，不过，娶了薛宝钗也幸福。可叹的是，夏济安不久就因战事逼近北平，先逃回上海，后来再逃到香港，再也没回去。也不知道，他心中的林妹妹下场如何。

三

夏济安于一九四九年四月底，乘船从上海到香港。他对香港的第一印象很不错：“香港地方很好，满街汽车，无三轮车，黄包车也难得见，很整洁，有山有海，气候虽已入夏，但并不闷气，很适宜居住，你来了一定喜欢。我现在稍微不满的是住的地方太挤一点，假如一人有独用一间，那是很舒服了。”他觉得香港的东西跟上海比起来，要便宜得多。美国货，或许比美国都便宜，到处充斥着上等西装料子与讲究的衬衫。女人的旗袍料，美元才一元就可买一件。上馆子吃饭，也比上海便宜，冷饮店很多，又便宜。诸如此类的细节，把香港描绘成了当年的“购物天堂”，也不知道他究竟是在逃难，还是到香港“自由行”来的。

他到香港，住在湾仔的六国饭店，似乎十分阔气，其实手头并不宽裕，住处是他投靠的老板安排的。他特别跟夏志清解释，“六国饭店并不贵族化”，设备跟上海的大中华、东方相仿，环境是不错，而且面海，正对着维多利亚港，空气倒是很好。“六国的好处是 service 好，茶房都懂国语与沪语，吸收很多逃难人。六国饭店似乎比上海我讲的那些饭店干净，常常大扫除，墙壁常常粉刷，电梯新近加了一层油漆。床上没有臭虫，奇怪的是香港这样一个半热带地方，竟然没有蚊子，晚上睡不用帐子。”他还发现，六国饭店住了很多舞女，有些还是以前在上海颇有名气的交际花。他告诉弟弟，这些舞女流落到香港，情况就比较艰难：“舞女的开支大，据说对于客人很迁就，以谋开源，sex 是开放的，不必在上海还有一点架子及种种 delicacies，pretences。”他虽然偶尔接触，但保持一定距离：“你知道我对于这种妖姬，并无兴趣，我感到兴趣的是带点天真的女人。来港以后，毫无 adventure，近来用钱省，更不敢有非分之想。”

好在他善于交际，有份闲散的工作，又有朋友安排，做些杂事补贴生活，曾到钱穆开办的“亚洲学院”（新亚书院的前身）教过英文，担任家庭英语教师，经常去舞厅，看跑马，虽然有点无聊，倒并不寂寞。夏济安多少有点海派纨绔习气，但个性腼腆，在北平任教北大的时候，就正式学过跳舞，却一直放不开来，跳不好。在香港陪朋友上舞厅，也经常是看人跳，自己抹不开脸面，不敢下场。倒是喜欢赌马，他说：“跑马赌钱我认为很有兴趣，经济情况如好，每次跑马我都想去花掉几十块钱去试试运气。”他认为跑马可以让群众发泄欲望，稳定社会秩序：“上海于胜利之后把跑马禁掉，实是大不智。香港假如没有跑马，一般人的生活一定要更无聊，更烦躁，做更大的坏事，而且这两个钱亦在别的坏事上面花掉。”他还说，台湾管制很严，不准跑马，不开反共群众大会，“民众只有恐惧而无发泄，这种统治一定失败”。看跑马还看出这样深刻的群众社会学心得，也算是“世事洞明皆学问”了。

夏济安生活过的香港，过了六十多年，香港还是地狭人挤，照样跑马，好像没变多少。

四

夏济安本来在北京大学教英文，刚升任讲师，就碰上国共内战的转捩时刻。夏济安先回到上海家中，在一九四九年四月逃难来香港，成了当时从上海涌入香港自称“白华”群中的一员。他在香港的一段时期，跟着上海朋友学做生意，发现广东人与上海人经商赚钱的方式不同，在于社会环境的模式不同，思维方式不同，甚至生活追求也不同。有趣的是，他从老同学宋奇（后改名宋淇，笔名林以亮）在香港的发展，看到了“白华”转化成香港人的契机，更看到了士大夫文化精英转型成为资本主义精英的历程。

夏济安在一九四九年九月一日写信给弟弟夏志清，说自己不适合做生意，因为“我的教养使我与经商格格不合”。他认为自己是封建社会的精英，属于士大夫阶层，“不治生产，而敢于用钱，讲义气，守礼教，保守怀古，反对革新”。而他当年在上海光华大学英文系的同学宋奇，“则属于资本主义社会的elite，趣味风格与我不同，因此我不会同他们很intimate。我认为他们把金钱看得比义气重要，信用都须putinto black or white……他们过着紧张的生活，不能够悠闲地享受他们的财富，拼命地赚钱，很疲劳地消费他们的钱。他们的计算精明，分毫不差，而且乐于计算，财产乃可积少成多”。他对香港资本主义社会，观察得相当深入，而最直接的认识就是来自宋奇。夏济安是出色当行的文学评论家，对社会人生有其特殊的敏感触角，又有细致缜密的分析能力，能够在生活细节中发现本质性的生命状态，通过直感掌握社会的脉动。他发现上海人与广东人的经商模式，简直是南辕北辙：“上海人常说，你问广东人买货，你先要付钱给他，他再给你货；你要卖货给他，他却要收到你的货，验对了再给你钱。上海人很少把支票退票向有司告发，据说广东人是不客气的。在香港，大本钱做大生意，小本钱做小生意，很难投机取巧，做生意失败，患难时亦不容易有人来帮忙。”

夏济安在香港初遇宋奇的时候，还以为自己与宋奇是老友，熟悉彼此处世行事的方式，曾介绍给自己做苏联生意的老板，一起合作，销售苏联肥田粉到远东各地。宋奇方面则介绍浙江兴业银行来担保，成了这笔生意的合伙人，利润对半分，并答应付给夏济安佣金。在国共内战的混乱时期，趁着各地物资流通困难，掌握商机赚钱，大家得利，本也无可厚非，至少让牵线人夏济安得意万分。他在给弟弟志清的信中多次提到，这是他经济生活的大转机，以后或可衣食无忧了。没想到宋奇经过精密的调查与思考后，觉得其中牵涉金融汇兑的复杂性，风险很大，不是百分百的稳赚生意，于是退出不干了，也就打消了夏济安赚钱的美梦。

夏济安在香港经商不成，生活乏善可陈，基本上就是混日子，前途茫茫，就希望能得到奖学金资助，到美国去进修。夏志清帮他安排了 Oberlin 的入学许可，需要一笔二千四百美元的外汇存款证明，才能申请赴美签证。他找宋奇帮忙，宋奇没能帮，想来让夏济安觉得实在不够朋友，在写给弟弟志清的信里（1949 年 8 月 5 日）说："亏得张君秋答应划一张一万五千元港币，用我的名义在中国银行开一户头，才得解决。"这也反映了夏济安与宋奇对待金钱与友谊的不同态度，而张君秋愿意拔刀相助，显然是传统义气的展现，从戏台走入了真实人生。

在夏济安眼里，宋奇在香港活得很滋润，长袖善舞，花样很多。他在一九五〇年一月二十二日写给志清的信里，显然带点调侃的意味："宋奇新开了一家小型旅馆'星都招待所'（Sanders Mansion），他的公司本来叫城大行。英文名称 S.D. Sanders & Co.，他自居 vice-president。这个 S.D. Sanders 大约是 president，但并无其人，是他发明来骗人的。有一天假如真出来一个 S.D. Sanders 去看宋奇，倒是很合乎宋奇趣味的一部喜剧题材。"

夏济安最终离开了香港，但暂时没去成美国，退而求其次，借助他在北大教书的经历，到重新整顿的台湾大学去教书。

原文刊载于《书城》2016 年 7 月号

从出版史到文化交流史

记得很久以前，在一九七〇年代——因为那段时间在台湾看不到大陆出版的东西——我刚到美国后第一次看到的有关出版的著作，是张静庐先生著的《中国近代出版史料》，我看得真是津津有味。中国的出版史研究经历了一个很大的变化，我们的古籍出版和进入晚清以来出现的现代出版业完全不同，可是，怎么样来看待这些不同呢？我认为这里面其实还有很多有意思的问题，就像苏东坡诗写的那样，“横看成岭侧成峰”，从不同的角度会有不同的问题，比如有关书写，有关作者和社会的关系，包括当时的文化氛围、历史环境、时代风气等等。

中国的印刷史研究得很好，因为印刷是世界重大的发明，有人认为它是世界的四大发明之一。印刷史研究涉及造纸、纸墨、雕版业和排印等，到后来科技发展之后，它更是牵涉到社会各个不同阶层的人，牵涉到社会的整个结构，它实际上也是社会史，是通过特殊的文化载体来表现的一整个社会过程。印刷需要流通、需要人投资、需要纠集工人，它有商贸的经营，有商业的运作，有批发、有零售，甚至到了近代还出现书展，其实书展是一个很有意思的行为，它虽然是一种文化活动，但它同时也是一种商业的行为，还出现书会，以前古人有琴棋书画的雅集，现在我们有书会、读书俱乐部，它们背后也有商业运作。这些都和出版史的研究息息相关。

再比如讲到阅读，我们从许多资料看到一些学者文人写的读书感想，甚至写到这些书刊对于他一生的影响。这属于个人的阅读，之外还有更多的牵涉到阅读的问题，如文化知识的流通，包括书刊的评介，包括读书会的组织，这些也都是出版史可以讨论的。

从方法上来讲，现在有许多不同的领域介入到出版史的研究中来，有文学社会学、知识社会学、科技史、商务史等等。比如文化社会学的学者布迪厄（Pierre Bourdieu）的文化场域研究是讨论政治、社会和文化的场域关系，这就牵涉到文化传播学。其实印刷和整个文化传播、和传播学的关系是十分密切的。

出版不是我的研究领域，我研究的是非文字的、非文献的一些文化问题。二〇〇六年我出了一本书叫《口传心授与文化传承》，里面讲的是昆曲和古琴。在做这方面的研究时我考虑到它们都是文化的载体——其实文化载体不仅是文字，文字和文献典籍只是我们最熟悉、最主要的载体。进入二十世纪，王国维就很清楚地提出地下资料的问题，文物和考古也成了人们公认的文化载体，它们虽然不是文字，但它们所记载的东西是非常清楚的，它们存在于历史当中并扮演着非常重要的角色。另外还有一些是无形的，就是联合国教科文组织所称的非物质文化遗产，也就是口传心授的东西，这些也都是文化的载体——这些非物质文化的东西该怎么研究，这是我的兴趣所在。而我在研究了这些之后，回过头来再看文字、文献和出版的研究，我发现，其实各个不同领域的研究都是相通的。

出版史是不是文化进步的历史？当然我们讲的是平面出版——现在二十一世纪有很多非平面的出版方法，特别是电脑高度发达之后，非平面的出版将来必定也是出版研究的一个领域——它是不是从简单到复杂、从手工到机械化、从精英到普罗？这里面的很多问题并不是单线的，问题之间可能有交叉，有很复杂的关系，会牵涉到很多东西，牵扯到对手工技艺的研究，对科技发展的研究，对艺术审美的研究等等。比如装帧艺术是不是出版史研究中很重要的一部分呢？我认为绝对是。装帧不只是一种艺术，它的设计里面有许多商业因素，它利用我们对视觉的感觉来影响我们，利用我们的审美偏好来诱导我们，这些问题都是可以探讨、可以研究的。但是我们研究书籍的历史，讨论比较多的还是书的内容问题，对形象设计的研究是相对薄弱的。

国外对于出版史的研究，二十世纪也有很大的变化。例如法国，大概在一九五〇年代，也就是在第二次世界大战之后，有了一个很大的飞跃，特别是年鉴学派的出现直接导致了这次飞跃的产生。德国受年鉴学派的影响很大，英美现在也把它作为研究文化史的很主要的领域。我简单介绍几个例子，提出几个问题和大家一起思考。

我们讲的传统出版史和新的出版史有很大的不同。中国的出版史有很好很优良的传统，因为中国人对书非常重视，而且中国不管是纸张还是出版，在世界的文化发展中一直是首屈一指的——近代欧美的发展是另外一回事，这里不作讨论。中国过去对出版史的研究，我认为都集中在如传统的书目学、目录学、版本学、校勘学，甚至藏书版本学，研究珍本、善本等这些方面。西方的研究也是如此。这大概和古董的价值有关，这说明藏书也有它的社会价值，也有与金钱相关的一面。新的出版史的代表主要是年鉴学派的费夫贺（Lucien Febvre）跟马尔坦（Henri-Jean Martin）于一九五八年在法国出版的一本《印刷书的诞生》（*The Coming of the Book*）。他们在一九五〇年代就提出对印制本，即平面印刷在欧洲发展问题的思考——这里面虽然有一节讲中国的印刷术，但整本书主要讲的不是印刷术是如何发展起来的，哪个地方发展快、哪个地方发展慢的问题，而是讲这种平面印刷在欧洲出现后怎么发展、怎么产生了社会影响、怎么影响人们对于社会的态度、怎么造成了大的历史的变动等一系列问题，所以这本书对于出版史的研究就联系到了各个不同领域和各个不同的面，所以这本书很有影响。

特别有意思的是，年鉴学派对于出版史的研究影响到了一位美国学者罗伯特·达恩顿（Robert Darnton）。达恩顿是普林斯顿大学的教授，他的书中文译本的名字为《启蒙运动的生意》（*The Business of Enlightenment*），它研究了一本书——《百科全书》从启蒙时代一直到法国大革命之前，对法国和整个欧洲思想的影响以及它作为一个生意的运作过程和状况。启蒙运动的《百科全书》，我们从来都是从思想史的角度来讨论的，来讲书里面提供的知识，讲它提供的理性思维，讲它后来造成法国大革命，讲它对人们的思想的改变以及造成的整个社会的运动。而这本书的研究目标却是《百科全书》的生命史，它讨论了写书的人和书商之间的关系，讲书商的投资金额和动机，讲《百科全书》出版后有多少不同的版本等等。当时有很多不同的版本，这涉及出版契约，而法国当时还处于皇权之下，对出版有很严格的规定和控制，可是书里又有很多内容对当时的正统思维、皇权社会以及宗教体系都具有挑战性甚或批判性，那么书商是怎样利用法律的灰色地带，是怎么衡量和取舍书中的内容的？这一类的细节，反映出当时很具体的社会生活。

达恩顿为什么能写出这本书呢？因为他找到了日内瓦一个书商当时留下来的档案资料——所有来往的信件，内容涉及他怎么付稿费，印多少本书，在哪里印，印了之后怎么运输，又运到哪里去等等，所以我们得到了从一七七五至一八八〇年这个时段《百科全书》发展的非常清晰的情况，使我们得以知道在四分之一个世纪中，这部书出了多少版本，印刷了多少册，在法国国内印刷多少本，法国国外印多少本，日内瓦后来又出的那个版本卖了多少等。从书中我们可以看到，日内瓦一个大书商竟然印了八千余册。我们知道，《百科全书》是一套很大部头的书，而在作者研究的这段时间，也就是法国大革命之前，竟然总共印了两万三千四百套，那么它是怎么发展到这个程度的呢？从这个角度来思考的话，这本书探讨的问题就不是我们狭义的出版，它研究了整个欧洲社会及文化思维的变迁。我们经常说法国大革命之前一定有一些风雨欲来的预兆，那么这本书就把这种预先状况讲得很清楚。这是研究出版史的一本书，但却带给我们很多知识和信息。

后来达恩顿在一九八二年又出了一本论文集《旧政权的地下文艺》（*The Literary Underground of the Old Regime*），里面收有文化和社会的议题，特别是从文化传播的角度讨论了一些东西；一九九〇年他又出版了一本论文集《拉姆雷特之吻：文化史反思》（*The Kiss of Lamourette: Reflections in Cultural History*），这两本书都讲到了他一直在讨论的出版问题——出版史研究可以联系到哪些领域，应该怎么来看这些领域之间的关系。达恩顿提出了一个传播的循环线路（Communications Circuits），他把与出版有关的每个环节和整体都放回到历史的现场，不管是书商、契约、版权，还是我们现在所讲的所谓的智慧财产权。他特别喜欢探讨书商、出版家是怎么来运作的，这个背后最大的驱动就是资本问题。他从书商入手来探讨近代的这些问题，探讨书商在其中扮演的角色。达恩顿的循环线路，首先涉及的是作者和出版商之间的互动关系，之中出版商又牵涉到印刷商，印刷商又牵涉到各种纸张和墨，以及工人的提供，印刷又包括造字、制模等等。接下来是商贸，流通领域的书商有批发商、零售商，还有售书的商店等等。再下来就是读者，各种各样的读者，包括买书的人、借书的人、图书馆、图书俱乐部等等。另外一部分是经济社会结构，这就牵涉到政治和法律的问题，因为有出版的法律，出版的规定，出版的限制，甚至有时有对出版的压制。还有一面就是书的思想和影响。达恩顿所要讲的就是涉及出版的各个不同的领域，以及从不同的角度来看待出版，这其实也就是现在我们研究出版史的许多人所考虑的一些问题。

过去我们的出版史，经常研究书目，其实书目和知识结构的关系很密切。以前我们讲《四库全书总目》时，会讲到清朝乾隆以前的有些书变成存目了，有些被禁毁了，我们有许多研究《四库全书》的学者也研究它们之间的关系，但因为《四库全书》太大了，所以研究的人就只能告诉我们一个大概的框架，至于具体的某本书在《四库全书》的整个编写过程中有没有出现过什么状况，或者曾经出现什么样的状况则无从知晓。当然《四库全书》还不是我们今天说的印刷，而是抄写，但现在它开始印刷了，而且还有了电子版，我相信若干年后我们再回头看，《四库全书》的流通本身就是一个非常有趣的文化发展的历史。乾隆以后又出现了很多的材料，于是再把它们编到《续修四库全书》里。面对出现的很多材料，一个相应的问题就产生了，我们怎么把过去的各种书刊材料纳入我们传统的经史子集的文化框架呢？像孙殿起的《贩书偶记》所见的许多书籍就没有被收入《四库全书》，这是否和书目及文化史的知识框架很有关系呢？

到了近代，书目的分类就比较容易讲了，比如张之洞的《书目答问》和之后的《书目答问补正》，这些书已经能从书目上看出它和《四库全书》那个时代的想法有了很大的不同，已经能够看出它在重新建构知识结构了。我觉得周振鹤教授编的《晚清营业书目》很好，里面有一九〇六年商务印书馆出版的教科书目，它列出了初等小学堂国文教科书书目四种：《文学初阶》《马氏文通》《汉文教授法》和《伊索寓言》。这是非常有趣的事情，《伊索寓言》为什么会被列入初等小学堂国文教科书呢？虽然《伊索寓言》可能是符合桐城派文体，古文根底很好，但不管怎么样，里面的知识内容和中国传统的知识是完全不同的，可它竟然会被列入小学堂教科书。这个例子以及这一类问题应该值得研究出版史的人特别去探索，因为它能够探索的面是一个非常重要的议题。

再有，档案馆有非常多的档案资料，比如上海档案馆就为研究专家提供了很好的研究资料，馆里所藏书底挂号提到当时书业公所有个书底，是一九〇四年以后的五十七家书商登记的两千余册的书底。但这里面还有一个问题，就是当时主营新书的书商并没有加入书业公所，这样，所藏书底就不能反映这些新书的状态，而且当时的革命书目也没有被纳入书底。讨论书目很有意思，但我们要注意以上情况。另外，上海档案馆藏的《上海市书商同业公会全宗档案》里面有书商的账册，账册里面有缴纳助银和月捐银的数量，从这个数量我们就可以看出这些书商的规模，因为缴纳的数量是书商所在的社区规定的，而社区对书商的经济状况是十分清楚的，所以从捐的助银数量我们能很清楚地看出书商的规模。从账册可以看到，在一八九〇年的捐助中，点石斋、扫叶山房都很多，但到了一九〇六年，点石斋捐得仍然很多，但扫叶山房就明显地落后了，这时我们看到宝善斋、商务印书馆、文明书局都变成了捐助的大家。虽然我不是研究这个领域的，但这种变化背后一定有很多有意思的事情，这是研究出版史的朋友应该讲给我们听的。书目看上去是最简单的一种东西，但它也能够给我们提供很重要的文化史方面的信息。

印刷史方面的材料很多，也有很出色的研究著作，如张秀民著、韩琦增订的《中国印刷史》（上、下），还有钱存训的《书于竹帛：中国古代的文字记录》，他的《中国纸和印刷文化史》是他《中国科技史：纸和印刷》英文本的修订本。但我们看到它们提供的也是一个大的框架，并没有告诉我们它跟当时的社会经济的关系。比如明朝出版业最兴盛的地方之一——福建武夷山区的麻沙与书林，那里出版质量最差的书，但这些书的流通量却是最大的，那么，它给地方带来了什么呢？地方的经济和它的关系又是什么呢？我看到有些研究地方史的学者注意到了这个问题，但却没有人从印刷史的角度来深入讨论这个问题，我想如果从这个角度来讨论，可以做的东西还是很多的。

近代出版史和文化交流的关系也很密切，邹振环教授新著的《西方传教士与晚清的西史东渐》讨论了有关晚清历史方面的文化交流问题，这是个很有意思的话题，但里面还有很多可以继续做的，比如具体做一本、两本书，也可以做这个书的更细致的生命史。大的、宏观的东西很重要，但有了大的宏观的框架之后，更细致地表现它的骨骼、肌体以及生命在当时的历史文化环境中的展现和影响，则是我这样的研究文化史的人所期待看到的。

研究出版史的资料还是有的，也许前人早已运用过它们来进行研究，但现在需要从不同的角度再来探讨它们蕴含的信息。比如我看到《西洋医学入华史稿》，它不是研究出版史的，但它涉及很多西方医学著作的出版和翻译，那么，这些西洋医学的著作是怎么影响我们的医学界呢，这就与出版有了一些关联，这些都需要好好地讨论。另外我看到沈国威教授的《近代启蒙的足迹——东西文化交流与语言接触》，这本书也很有意思。这本书研究了理雅各（James Legge）给小学生的启蒙教材——《智环启蒙塾课初步》这本一八五六年在香港出版的书。理雅各这本书的内容讲的是西方最简单的知识，可是它有很重要的一点，就是它里面有很多新的西方词汇——这些词汇是由传教士和教友翻译的。这些词被翻译成中文之后被传播到了日本，之后又从日本传回中国。我们过去总有一个误会，认为所有我们重要的新名词都是从日本转借过来的，其实传教士和中国的教友因为有很多刊物要出版，所以他们在这方面做了很多的努力。确实，影响中国的很多近代词汇都是从日本传过来的，但也有一些词是从中国传到日本，之后又从日本传回来的，这就是传播的问题。那么，现在就有一个很值得认真研究的问题摆在我们的面前了：一个词被译成汉语之后对中国的影响程度究竟有多深？这个词到了日本之后，通过其他人的介绍又传回中国，比如梁启超，它的传播面是否就不同了，它对中国的影响深度又是多少呢？这些的确是我们研究者需要弄清楚的问题。

综上所述，我认为这些和文化传播及文化交流有关的议题都和出版史有关，这些问题的研究成果都可以贡献给整个历史学。所以，以书刊出版为核心，以书刊的传播为关键，受文化影响是重点，文化交流是流韵。同时，这里面又牵涉了时间的维度，即历史的演变；空间的维度，即地域的差异，以及社会阶层与群体意识的不同。现在我们对文化的认识是多元的，出版对文化的影响也因社群的差异而不尽相同。

原文刊载于《书城》2009年2月号

王元化论学

不久前我去拜望王元化先生，承他美意，送我一本《清园近作集》，并谆谆督嘱关于学刊编辑的事宜。王先生一直坚持的理念是，要发展“有学术的思想和有思想的学术”。这个提法，在中国近半世纪的学术发展脉络中，有特殊的意义，与陈寅恪一再强调的“独立之思想，自由之精神”可说是一脉相承的。

讲独立自主的学术精神，讲不为俗见所拘，讲六经注我，人人都会讲，但陈寅恪讲“独立之思想，自由之精神”，不止是泛泛而论，人云亦云，而是具体对抗当时排山倒海而来的马列主义观点，明确反对用马克思主义历史观作为解释中国历史的唯一标尺。以一介书生而能对抗举国滔滔的政治大潮，坚持自己的信念，靠的是文化积蕴转化而成的独立自主思想，也是对学术追求的真诚。我们景仰陈寅恪，最主要是钦佩他这种“衣带渐宽终不悔，为伊消得人憔悴”的坚持。

王元化强调的“有学术的思想和有思想的学术”，虽与陈寅恪的独立自主精神一脉相承，反映出来的具体历史文化语境却有所不同。王先生信仰过马克思主义，也为人类整体的幸福与解放做过奋斗，这是与陈寅恪“议论近于湘乡、南皮之间”的历史背景大不相同的。但是，他却不能接受党化的马克思主义，反对把思想体系变成意识形态的专政。在他来说，马克思主义是一套哲学思辨的系统，提供了发展独立自主思想的方法，而不是封闭的教条与口号，用来桎梏学术思想的探索。

王先生不但见到马列主义一言堂的横暴，肆意摧残了半个世纪的中国思想学术，也见到改革开放之后，揭去了政治挂帅的符咒，学术界思想混乱，莫衷一是，走向市场通俗的哗众取宠现象。王先生绝不反对学术思想的普及，但他反对学术思想的庸俗化，特别反对为了博取名利而制造学术业绩的倾向。中国学术界目前少了政治干预，却多了官僚化的机械式评比，更充斥了毫无思想价值、以量取胜的著作。

对于意识形态干预学术，现在大家都知道其害无穷，王先生有段话说得精辟：

> 我认为学术思想的价值，只存在于学术思想本身之中，学术研究必须提供充分的论据，进行有说服力的论证，作出科学性的论断；而不能以游离学术之外的意图（哪怕是最美好的）、口号（哪怕是最革命的）、立场（哪怕是最先进的）这些东西来顶替充数。因此，我反对学术应依附于某种力量，或应为某种意识形态服务这类长期以来支配学术界的主流观念。我认为学术是有其独立自主性的，是有其自身价值的。

意识形态明显支配学术界的情况，目前大有改变，很少人在原则上赞同以学术来配合政治任务了。但是，在实际运作上，还是有许多人不以学术本身为价值核心，而是为了职称、科研项目基金、拓展权力架构而努力。言利而不言义，是人之常情，无可厚非。但是，我们还是寄望学者，不要因利而害义，不要制造太多学术垃圾。

王先生对商业大潮影响学术文化，也有很深的戒心，曾说：

> 表面上并不那么有害的大众文化，也有潜在的消极意义。比如它具有商品拜物教的特征，它的标准化、统一化和同质化的生产，是排斥真正的个性和创造力的，久而久之会生产出同质、平面的社会主体，一个以时尚为主导的社会文化中，是没有真正有深度的精神生活可言的。而商品的规律使它具有强烈的支配力量，控制和规范着文化消费的需求。助长一元化（如市场至上等）的意识形态统治，产生着新的压抑形式。所以我赞成知识人在大众文化面前保持清醒的头脑和批判的意识，这样可以尽力去保证一个社会在发展中不至于产生太多的

文化泡沫。

我们生活在一个民主化、大众化、知识普及化、价值平等化的时代，一方面要庆幸阶级界限的逐渐消弭，同时也要自我警惕。作为一个知识人，我们有我们需要扮演的角色，为了人类文化学术发展尽一分力，而不是随波逐流，在学术商品化的浪潮中捞一网渔获。

王先生是《九州学林》的创办人之一，虽然现在已经不参与编务，但他的想法却明确反映在我们办刊的宗旨之中。他最近的一些思辨言论，更与我的想法若合符节，因此，记在这里，与大家共勉。

原文刊载于《九州学林》总六辑

《九州学林》的前世今生

一

《九州学林》这本学术季刊，是以中国传统文史哲为主的刊物，但也兼及中国传统视觉艺术与表演艺术，宗旨是以现代学术的方法，来整合传统学术的文史哲与艺术，以期符合现代学术的专业规范，同时也不至于丧失中国传统学术可以贯通文史学艺的精神。学刊的英文名称是 *Chinese Culture Quarterly*，承袭自其前身《九州学刊》的英文刊名，一字未动，显示了这两份学术季刊虽然中文名称不同，却一脉相承，有着紧密的承袭关系。《九州学刊》是一九八六年我在美国创办的中文学术刊物，由于当年出版印刷技术的限制，在美国出版印刷中文学术刊物十分困难，

《九州学刊》创刊号
（1986年9月）

同时费用不菲，出版后如何发行也是个问题，因此，编辑部设在纽约，而出版、印刷、发行的部门，则先后设于香港中华文化促进中心（1986–1991）与台湾皇冠出版社（1991–1995），前后延续了十年。然而，真要说起《九州学林》的前世今生，以及我前后主编《九州学刊》及《九州学林》的渊源，还得溯源到更早的一份学术刊物，那就是一九七〇年代在香港创刊的《抖擻》。

一九七〇年代初，我当时还在耶鲁大学历史研究所攻读博士，经常使用哈佛大学燕京图书馆，结识了一批参加保钓运动的年轻文史学者。其中有两位来自台湾大学的学长，一是就读哈佛大学历史系的龚忠武，二是从伯克利加州大学来哈佛搜集资料的郭松棻，先后与我联络，说香港大专院校和教育界的十几位朋友，创立了《抖擞》双月刊，是一份综合性的文化学术刊物，希望我也能参与组稿。《抖擞》双月刊当时在香港出现，反映了香港学术界与海外学者对中国学术及文化前途的忧心，希望能在海外尽一份薄力，葆育学术文化的种子，以免中国学术的全面丧失。主要的刺激来自中国“文革”对传统的破坏，同时又受到当时西方文化界流行探讨 C.P.Snow“两种文化”（Two Cultures）的影响。一方面是感到中国大陆政治挂帅，打倒一切，抹杀文化传统，身在海外的知识人责无旁贷，必须对中国文化传统进行深刻反思，思考中国文化的前景；另一方面则是感到自然科学与人文学科的鸿沟愈来愈大，科学家与人文学者不但缺乏沟通，而且没有相互沟通的语言与思维环境，因此，必须跨越科学与人文的畛域，使两种文化有所交汇，共同携手开创中国文化的未来。

现在回顾起来，创办《抖擞》学刊的朋友，颇有些堂吉诃德精神，但又继承了传统儒家士大夫忧国忧民的文化关怀，知其不可而为之。虽然他们自以为政治上倾向社会主义的人间关怀，但在社会实践的具体行动上，却发扬先忧后乐精神，强调振兴学术文化。学刊名“抖擞”，乍听起来有点奇怪，但却取自当时流行的一句古诗，倒是“文革”期间大家耳熟能详的“革命语言”。一九七四年一月，《抖擞》创刊号出版，过了一段时间我才收到刊物，发现封面设计素雅大方，版面尤其清爽，内容则以人文思辨为主，同时涉及中国科学史及科学方法的探索。在“发刊辞”右上角印着龚自珍《己亥杂诗》（第二百二十首）的末二句：“我劝天公重抖擞，不拘一格降人材。”刊名《抖擞》，原来意义深重，暗含着原诗的头两句：“九州生气恃风雷，万马齐喑究可哀。”在“文革”横扫一切文化学术的时代环境，命名“抖擞”，虽然表面沿用了“文革”期间的“革命诗句”，实质上也批判了

《抖擞》创刊号（1974年1月）

“文革”蔑视学术的风气。我记得大学期间，读梁启超《清代学术概论》，说“初读《定庵文集》，若受电然”。我当时看到《抖擞》引用龚自珍的这首诗，感觉也是如此，好像胸中有口郁然沉寂的大钟，被人隔着太平洋，重重敲了一击，心灵受到震撼。

从此我就和《抖擞》结下了不解之缘，也认识了一批香港的朋友，一同为了九州的文化生气，抖擞精神。从未谋面的朋友，为了信念走到一起，而可以合作无间，是十分幸福的。最先是写稿，一九七六年兼任海外编辑，主要负责书评栏目，最后则直接参与编务，承担文史部分的编辑工作，直到一九七八年还兼任北美编辑部主任。我对香港的印象是模糊的，只在一九七六年与一九七八年暑假期间路过，但我热爱那片土地，因为那里有许多朋友在撒种，把麦粒埋进土里。他们的音容还不时会浮现在我眼前：抽烟斗的梁鉴添、瘦削清癯的文志成、表面木讷心里却燃着一团火的岑懋基、仪表矜持却笑容可掬的姚德怀……

我和《抖擞》的同仁，因为编辑刊物的联系，书信往返频繁，保持了十年以上的同事亲密关系。有趣的是，我们编辑《抖擞》，全是义务劳动，不但没有薪资，还总要为刊物的出版筹集经费，自掏腰包。刊行近十年，邀约、投稿的作者，有不少是国际知名的学者，包括了科学家、哲学家、文史学者。当时的《抖擞》社长是香港大学理学院院长梁鉴添，在发刊词中说到，大家要同心协力，分享交流各种文化资源。希望把刊物办成一个开放的园地，期待读者群不局限于知识分子，而能“使具有一般文化水平的人士感兴趣，因此内容必须做到多元化，从文史哲、政治社会以至科技、艺术音乐都无所不容。文章的体裁应该不拘一格：从轻松的随笔、小说、诗歌以至较富学术性的专门文章也无所不纳”。我还记得，当时直接参与组稿与写稿的，有大陆的周有光、程千帆、徐朔方，海外有叶嘉莹、任之功、王浩等名流学者。由于当时还是二十世纪七十年代，大陆“文革”尚未结束，海外仍然弥漫恐共的思想，《抖擞》这个自由讨论的平台，希望沟通海内外的学术讨论，刊登了不少大陆学者的论文，以及探讨西方马克思主义人道哲学的文章，以致有人认为《抖擞》带有左翼的色彩。

记得中英协议前后，岑懋基经常寄关于香港回归的材料给我，希望我了解香港的前途，共同为香港的文化前景思索一条出路。《抖擞》的营办资金，主要靠的是同仁捐助，随着政局的变动，香港前景难料，不少同仁移民海外，刊物的经营也就愈来愈困难。经过十年的惨淡经营，随着经费与人力的短缺，《抖擞》只好暂时停刊。

二

一九八五年左右，岑懋基从香港传来了好消息，告诉我，香港新创立了“香港中华文化促进中心”，有意创办一份学术刊物，继续《抖擞》的精神，但以研究传统中国文化为宗旨。“香港中华文化促进中心”是一个非牟利的民间文化团体，始创于一九八五年一月，由“霍英东基金会”赞助，旨在发扬中华文化，联系香港和各地文化界及学术机构，推动香港和海内外华人文化界的沟通，促进中华文化的发展，增强中外文化的交流。许多促进中心理事会的成员，都在过去参与或资助过《抖擞》，希望通过创办一份研究中国文化的学术刊物，在学术含量上超越《抖擞》，内容则以传统中国文史哲为主，藉以促进中国大陆与海外的学术交流，活跃国内的思想风气。

过去的《抖擞》同仁举荐我作为这份学术刊物的主编，一方面是因为我的研究领域是中国文史传统，另一方面是我在美国已经教书多年，而且在美国东部任教过不同的大学，人脉广，可以联络美国的人文学者，特别是因为我当时已经固定在纽约市执教，是最佳的联络交流枢纽。宗旨呢？理事会说，你定吧。编辑方针呢？你定吧。最后告诉我：你全权处理吧，香港方面则负责一切经费与制作发行工作。我不由想起诸葛亮在《前出师表》里说的“不以臣卑鄙，猥自枉屈，三顾臣于草庐之中，咨臣以当世之事”。香港朋友如此推心置腹，我能不鞠躬尽瘁吗？

我当然不是诸葛亮，可是我有一批才气俱不亚于诸葛亮的师友。首先是学术刊物要有刊名，不能再用《抖擞》了，用什么呢？朋友集思广益，想了不少刊名，最后几乎决定使用质朴得笨拙的《文华》了，忽闻执教于普林斯顿大学的高友工先生说，叫《九州》。《九州》好！既契合《已亥杂诗》的前两句“九州生气恃风雷，万马齐喑究可哀”，仍旧是龚定庵诗意，又点出了《九州学刊》与《抖擞》的承继关系。一槌定音。

正式宣布刊名《九州》那天，是在当时仍任教于耶鲁大学的业师余英时先生家中，刚好有几位国内学者参加晚宴。

庞朴先生的神态如今还历历在目，他扬起右手，像是配合他昂扬矗起的灰白头发，声若洪钟，说："《九州》好，有气派，先是华夏九州，以后就是大九州，囊括全球九洲。"大家都首肯，就这么正了名，香港中华文化促进中心理事会也十分赞同。《九州学刊》出版后，曾与大陆出版界达成一个协议，在内地出版《九州选辑》，可以选刊《九州学刊》发表的论文，以书代刊，但条件是不可增删论文，一字不能易。这个选辑只出版了一辑，便无疾而终，不知是否怕惹麻烦。那一辑的封面印着四个大字："九洲选辑"，把我们的刊名改了，或许出版单位受到下意识影响，也想发扬中华文化，把事业推展到全球"九洲"。

《九州学刊》创刊号的封面，是文楼设计的，字体用的是"颜勤礼碑"，字体雄奇，精美华丽，呼应了龚自珍诗句的苍郁雄浑，彰显了刊名寓意的气势。创始之初十分热闹，我组成了顾问委员会，邀得十七位在美国汉学界赫赫有名的学者担任，其中最积极的几位是王浩、张光直、余英时、高友工、杜维明、赵如兰等，主要是提供咨询意见。我还邀请了三位非华裔的美国汉学家担任顾问，分别是哈佛大学的孔飞立（Philip Kuhn）、耶鲁大学的史景迁（Jonathan Spence）、伯克利加州大学的魏克曼（Frederic Wakeman），他们虽然不用中文从事著述，但却完全支持美国的汉学研究应该有一份中文的学术期刊。顾问们都是资深学者，除了提供咨询意见，有时也帮着组稿，介绍优秀的研究成果。真正参与具体编辑事务办事的人，则是青年学者，组成编辑委员会，有李文玺、张隆溪、周质平、孙康宜、巫鸿、王德威、谢正光等十六人。我们一伙人的年纪相当，志趣相投，开起编委会，意气风发，指点江山，就好像身系中国学术前景的发展似的。

《九州学刊》可能是二十世纪八十年代欧美汉学界唯一的中文学术期刊，运作的方式完全依照美国人文学界的规范，匿名评审。为了配合学刊的推广，我们决定与哈佛大学燕京学社合作，以学刊名义，每年在哈佛“燕京礼堂”举办中国文化研讨会，从宏观与微观两个方面探索中国文化的不同侧面。研讨会由杜维明教授与我主持，每年订立专题，邀请各方学者参加，以汉语发表学术研究报告。杜维明经常强调，研讨会要持续举办，建立一个新的“文化中国”传统。他引述芝加哥大学社会学家席尔斯（Edward Shils）的看法，说传统之建立，在于持续进行，一个文化现象持续三次以上，就成了传统。中国文化研讨会持续了二十多年，到现在还是每年一度，成了哈佛的一个传统。杜维明后来说“哈佛已经成为在英语世界中经常用普通话谈论‘国学’的道场”，部分也是因为每年举办中国文化研讨会的缘故。

二十世纪八十年代我在纽约任教，同时还兼任哈佛大学费正清东亚研究中心的研究员，因为工作的安排，经常奔波于波士顿与纽约两地，也就顺便在奔波之中联系《九州学刊》的编务，因为大多数的顾问与执行编委都生活在美国东北部这一带。旅途穿越整个新英格兰的南部，开车单程就要五个小时，途中一定要休息用餐，最适中的地点就是耶鲁所在的新港市。那时余英时已从哈佛转到耶鲁任教，吩咐我以他家为驿站，我也就老实不客气，遵从师教，每隔一两个星期便在傍晚时分造访，刚好赶上晚饭。饭后泡上一杯酽茶，师生二人天南地北，无所不聊。《九州学刊》的一些安排，也就在茶余饭后浮现了雏形。

香港中华文化促进中心全心全力支持《九州学刊》的出版事宜，从校对到印刷发行，任劳任怨，让我十分感激。由于海外刊物无法在中国内地发行，促进中心特别与国内相关部门作了安排，每期致送五百本，给全国各大图书馆、各大学人文科系图书室及知名的人文学者，免费赠阅。后来又帮我作了安排，请饶宗颐先生担任专辑主编，出版过三期敦煌学专号，使我对敦煌学有所关注，也结识了敦煌学的研究专家，开拓了学刊的研究面向。

《九州学刊》由香港资助了五年，后因香港中华文化促进中心经费短绌，无法全额资助出版印刷经费，我只好另觅资助。一九九一年，适逢台大历史系出身的平云接任台湾皇冠出版社社长职务，决定为文化事业尽一份力，慨然为我们提供了全部的印制经费，还拨了两位编辑协助出版流程。香港中华文化促进中心则继续按期寄赠五百本给大陆的图书馆与研究机构。因此，《九州学刊》与台湾学术出版界也有一段渊源，是由出版文艺刊物的皇冠出版社斥资，无私无悔，甚至违背其商业运作的模式，支持曲高和寡的《九州学刊》，而且延续了五年之久。最值得称道的是，在二十世纪九十年代初期，香港的中华文化促进中心与台湾的皇冠出版社，因为我个人所做的联系，得以携手合作，搭了一座沟通学术思想的桥梁，使得海外与大陆的文史学界可以进行直接沟通。

三

到了二十世纪九十年代中期，还是因为经费的问题，《九州学刊》终于停办了。之后不久，我于一九九八年应聘来到香港城市大学，创办中国文化中心，开辟在大学推展中国文化的新局面。香港对我，是个既陌生又熟稔的地方。我从来没在香港住过，却有许多因为《抖擞》或《九州学刊》的编务而经常书信往来的好友。在香港住定之后，不断在多种场合见到神交已久的老朋友。有许多是从未谋面的，也有不少是只有一面之雅，但是一说起来，都有十几年乃至于

王元化主编的《学术集林》（卷一，1994年8月）

二十几年的交谊了。见面的温馨与热情，洋溢着我们年轻时代的理想，心中回荡风起云飞的歌声，与眼前的苍苍白发相映成趣。在一次宴会中，有人叫我名字，回头一看，面生得很。他笑了，说“我是吴清辉，认识二十多年了”。是的，后来担任浸会大学校长的他，是我当年参与编辑《抖擞》时候神交的朋友，终于见面了。还有一次与香港普通话电台的台长张圭阳聊天，他突然神秘兮兮地笑了，说有个秘密要告诉我，是他当年曾义务为《九州学刊》做过校对。我听了，只有感激，话都说不出来。心里不禁疑惑，我来到香港，是不是冥冥之中自有天数，回到了我文化情怀的家乡，学术编辑事业的故里？

来到香港不久，与复旦大学的朱维铮教授一同拜访王元化先生，谈起学术期刊的出版。此时王先生主编的《学术集林》暂时停刊，面临与《九州学刊》类似的情况。王先生特别提到，大家都想办好一份学术刊物，提供一个独立自主的园地，让研究中国文化的专家学者，能够不受非学术因素的干扰，深入探索思想文化议题。独立的学术期刊虽是曲高和寡，吃力不讨好，但学术界必须有人承担下来，既巩固学术文化的基础，同时也应当藉此探索中国文化的前景。

《学术集林》创刊于一九九四年，是王元化的心血结晶，强调重新审视中国文化传统，通过细密的学术研究，深刻反思文化的意义。他在创刊号的《编后记》中写道："我们只是想做一些我们认为有意义而别人没有做的事"，"希望《学术集林》发表的文字，多一些有思想的学术和有学术的思想，让知识分子负起责任，在知识领域发挥作用。”他的话正道出我心中所想。季羡林曾经这样评价《学术集林》：“《学术集林》实为高规格高水平的学术文丛，不按时好，朴实无华，然而篇篇内容充实，言之有物，与时下流行的许多刊物，以新名词、洋名词哗众取宠者迥异其趣。”《学术集林》的成就有目共睹，后来是因为人事调动和资金的问题，中止了出版。

由于《九州学刊》和《学术集林》都面临暂时停刊的局面，王元化先生指出，我们理念相同，应该可以汇合已有的资源，合起来复刊。他授权朱维铮为《学术集林》的代表，与我共同商议细节，希望能汇聚海内外的学者，继续办一份立足于实证研究，放眼跨科际整合，探索中国文化的宏观议题，却绝不为时髦理论框囿的学刊。我负责在香港筹集出版经费，重新整合顾问委员会，并且在香港城市大学及上海复旦大学分别成立执行编辑小组，重新出刊，期望做到海内外共享学术研究成果，沟通与联系国际汉学研究所关心的学术议题，为阐释和创新中国文化尽力。王元化先生同时建议，合刊复版的名称，应该包含《九州学刊》和《学术集林》的原名，所以，就定名为《九州学林》。

经过一年多的商讨及磨合，合并的《九州学林》在二〇〇〇年再度复刊了，由香港城市大学与上海复旦大学同步出版。城市大学出版繁体字版，复旦大学出版简体字版，内容完全一致。除了在沪港两地刊行，也会在台湾、澳门以及海外多个地区发行。回顾我自己这半生，三十年来从事的学术编务，都与龚自珍“九州生气”这首诗有关，更与香港的文化耕耘有关。有人说香港是文化沙漠，我却但见其绿洲，以及在绿洲上撒麦种的人。

四

《九州学林》正式出刊，我被推为主编，执行编务分别由香港城市大学中国文化中心及复旦大学出版社担任。编委并合了原来《九州学刊》与《学术集林》的顾问，共三十一人，阵容十分强大，其中包括王元化、余英时、饶宗颐、李欧梵、李泽厚、杜维明、张灏、许倬云、叶嘉莹、刘再复等等，都是中国文化界及汉学界的重量级人物。饶宗颐先生不但身兼编委，还为《九州学林》的封面题字，笔墨酣畅，颇有古意。他在“文化飨宴：香港城市大学中国文化中心成立五周年暨《九州学林》创刊特展”上打趣说，《九州学林》的创刊，“是香港和上海在文化上结婚，期盼两地结合能带来新的文化景象。”这是他对我们的祝福，也是我们共同的愿望。

创办《九州学林》之初，我深有感慨，特别是受到王元化和朱维铮的重托，决心在《学术集林》与《九州学刊》过去发展的基础上，扩大学术研究的视野与接触，办好这一份阐释与拓展中国文化的《九州学林》。我征求了王、朱两位先生的意见，以自己长期追求的理念，写定以下几段话，作为《九州学林》的宗旨：

一、我们决定汇集海内外的资源，共同创办一份研究中国文化的学刊。我们有着共同的文化信念，相信严肃的学术研讨才能更新并创造灿烂的文化，相信扎实的文史根柢才是人文思维的基础，相信实证而有创意的学术方向才有助于中华文化的承继与发展。

二、我们反对抱残守缺，相信传统中国文化有其开放的空间，有其海纳百川的特质，有其吸取及融会外来因素的雅量，而绝不是固步自封、不假外铄的。我们反对盲目的子曰诗云，反对一切文化思维都要祖述炎黄尧舜，也反对言必称希腊与希伯来，反对以莎士比亚与贝多芬作为古今中外一切文艺的唯一评判标准。然而，我们同时也主张，所有的中国人文学者不但要熟知孔孟老庄、诗经楚辞、史记通鉴，要能理解《文心雕龙》，欣赏唐诗宋词与《红楼梦》，也要知道荷马与但丁，接触过柏拉图与亚里士多德，对康德、黑格尔、马克思不至于心存畏惧。

二、只有对人类过去累积的文化资源有了基本的认识，我们才能了解自己的文化定位，不至于夜郎自大，臆必固我，以为自己站在时代进步的尖端，可以睥睨古人，可以任意批判与践踏前人创造的功绩。我们也强调，尊重前人的贡献并非亦步亦趋，埋首于故纸堆中讨生活，而是关心文明发展的前途，通过对过去文化资源的阐释，或扬弃，或发挥，或更新，为文化的未来尽一份心力。宋儒张载尝言："为天地立心，为生民立命，为往圣继绝学，为万世开太平"，说得毋宁太过，把知识人的能耐作了无限度的自我膨胀，但是，那信念的坚决诚挚与敢于担当，却令人钦佩，值得我们效法。

四、刊名"九州"，当然令人想到古代的禹贡九州，而联想这份学刊是研究古代中国的。或许有人循着邹衍的谈天之术，发挥后结构、后殖民的玄想，"推而大之，至于无垠"，建议我们推动文化中国的全球化，阐扬大九州之说。对于这样的期许，我们有自知之明，承受不起，只能敬谢。倒是需要在此对"九州"的出典稍作说明：古典是大家熟悉的，说到禹贡九州，当然最直接的学术研究范畴是历史地理学，这也是顾颉刚主编《禹贡》学刊的命意所在。然而，"九州"的今典，则是出自龚自珍的《己亥杂诗》，我们也祈望《九州学林》可以汇集这一代海内外的人才，抖擞精神，为阐释并创新中国文化尽力。

五、我们赞成中国传统文化研究也要国际化，也要达到国际水平，也要和世界各地汉学家保持紧密联系与沟通。反对的是，硬性规定研究中国传统文化的学者，必须在欧美（甚或澳洲）的外文期刊中发表论文，才算达到高等学术水平，而在中文期刊中发表的学术成果，不管有多少创见，都属于次等的成就。这是什么逻辑？假如钱锺书晚生半世纪，他的学术成就，是不是只算他在《天下》写的英文论文，而《管锥编》这样的专书，根本不算国际水平？假如陈寅恪晚生五十年，他的学术成果是否只有在《哈佛亚洲研究》上出现的英文论文，而《柳如是别传》根本不合国际学术规范？我举这两位学术大师为例，是要指明，他们通晓多国语文，对西方学术的前沿是有清楚认识的，也有能力汲取西方汉学的研究成果，然而，他们最重要的学术创见，都以中文来表达。这不仅是因为他们相信，只有用中文（甚至可以用古文）来探索中国的文化传统，才能触及最精微奥妙的肯綮，也因为只有通过现代的研究与诠释，才能使传统累积的文化资源，出现创新与再生的可能。

六、我们出版《九州学林》，以中文为表达学术成果的媒介，从来没有回避过国际化的目标，但坚决反对为了“国际化”就要采用西方语文来研讨中国传统文化，也要提醒主管学术评核机制的单位，多费些心思，对不同领域的学术评鉴作出正确的认识。

五

以往去上海时，我总会造访王元化先生，每次得他谆谆督嘱关于本刊编辑的事宜。王先生一直坚持的理念是，要发展“有学术的思想和有思想的学术”。这个提法，在中国近半世纪的学术发展脉络中，有特殊的意义，与陈寅恪一再强调的“独立之思想，自由之精神”可说是一脉相承的。

讲独立自由的学术精神，讲不为俗见所拘，讲六经注我，人人都会讲，但陈寅恪讲“独立之思想，自由之精神”，不只是泛泛而论，人云亦云，而是具体对抗当时排山倒海而来的马列主义观点，明确反对用马克思主义历史观作为解释中国历史的唯一标尺。以一介书生而能对抗聚过滔滔的政治大潮，坚持自己的信念，靠的是文化积蕴转化而成的独立自主思想，也是对学术追求的真诚。我们景仰陈寅恪，最主要是钦佩他这种“衣带渐宽终不悔，为伊消得人憔悴”的坚持。

王元化强调的“有学术的思想和有思想的学术”，虽与陈寅恪的独立自主精神一脉相承，反映出来的具体历史文化语境却有所不同。王先生信仰过马克思主义，也为人类整体的幸福与解放作过奋斗，这是与陈寅恪“议论近于湘乡、南皮之间”的历史背景大不相同的。但是，他却不能接受教条化的马克思主义，反对把思想体系变成意识形态的专政。在他来说，马克思主义是一套哲学思辨的系统，提供了发展独立自主思想的方法，而不是封闭的教条与口号，用来桎梏学术思想的探索。

王先生不但见到马列主义一言堂的横暴，肆意摧残了半个世纪的中国思想学术，也见到改革开放之后，揭去了政治挂帅的符咒，学术思想混乱，莫衷一是，走向市场通俗的哗众取宠现象。王先生绝不反对学术思想的普及，但他反对学术思想的庸俗化，特别反对为了博取名利而制造学术业绩的倾向。中国学术界目前少了政治干预，却多了官僚化的机械式评比，更充斥了毫无思想价值、以量取胜的著作。

对于意识形态干预学术，现在大家都知道其害无穷，王先生有段话说得精辟：

> 我认为学术思想的价值，只存在于学术思想本身之中，学术研究必须提供充分的论据，作出科学性的论断；而不能以游离学术之外的意图（哪怕是最美好的）、口号（哪怕是最革命的）、立场（哪怕是最先进的）这些东西来顶替充数。因此，我反对学术应依附于某种力量，或应为某种意识形态服务这类长期以来支配学术界的主流观念。我认为学术是有其独立自主性，是有其自身价值的。

意识形态明显支配学术界的情况，目前大有改变，很少人在原则上赞同以学术来配合政治任务了。但是，在实际运作上，还是有许多人不以学术本身为价值核心，而是为了职称、科研项目基金、拓展权力架构而努力。言利而不言义，是人之常情，无可厚非。但是，我们还是寄望学者，不要因利而害义，不要制造太多学术垃圾。

王先生对商业大潮影响学术文化，也有很深的戒心，曾说：

> 表面上并不那么有害的大众文化，也有潜在的消极意义。比如它具有商品拜物教的特征，它的标准化、统一化和同质化的生产，是排斥真正的个性和创造力的，久而久之会生产出同质、平面的社会主体，一个以时尚为主导的社会文化中，是没有真正深度的精神生活可言的。而商品的规律使它具有强烈的支配力量，控制和规范着文化消费者的需求。主张一元化（如市场至上等）的意识形态同质，产生着新的压抑形式。所以我赞成知识人在大众文化面前保持清醒的头脑和批判的意识，这样可以尽力去保证

一个社会在发展中不至于产生太多的文化泡沫。

我们生活在一个民主化、大众化、知识普及化、价值平等化的时代，一方面要庆幸阶级界限的逐渐消弭，同时也要自我警惕。作为一个知识人，我们有我们需要扮演的角色，为人类文化学术发展尽点力，而不是随波逐流，在学术商品化的浪潮中捞一网渔获。

王先生是《九州学林》的创办人之一，虽然已经仙去，但他的想法也明确反映在我们办刊的宗旨之中，他的一些思辨言论，更与我的想法若合符节，记在这里，与大家共勉。

六

学术发展的理想状态，是学者追求知识，追求真理，相信自己所学对社会人群，及至于人类的未来有所贡献。因此，努力从事学术，其中有信念，有理想，有坚定的学术道德基础。老师如此教导学生，学生如此效法老师，有师承，有传统，规规矩矩，兢兢业业，即使因为能力有限而出现偏差，总因追求真理的共识，通过时间的考验而得以矫正。韩愈在《师说》一开头便说："师者，所以传道、授业、解惑也……"头一项提的是"传道"，也就是有一种信念，有一种维系知识传承的道德力量。

这种中国传统学术精神，在近代出现了变化。因为传统知识体系受到西方新潮的冲击，传统道德信念在反复的革命与战乱中逐渐消失，我们所依赖的，只有借鉴西方学术界的标准与体制。然而，中国现代学术体制的建立过程，为时尚短，表面的共识虽已建立，但内在对客观标准的认识，对学术辩争的开放与容忍，对学术视野与职场竞争的分界，还有待学习。二十世纪的中国，多灾多难，大学与高等研究机构的发展有限，是在极其困难的情况下维持的，主事者与从者多半是为理想固守学术，茁壮繁荣都谈不上，腐败的机会也就不多。

二十一世纪的中国学术界急速发展，大学与高等科研单位如雨后春笋，一夜之间可以冒出几个大学。学术追求的平民化，符合了政治社会变化的要求，但缺乏清楚的内在规范与学术道德机制。最明显的发展，就是学术商品化，学校职场化，教育政策广告化，学术追求金钱化，学术界成了小贪小腐的渊薮，成了拉帮结派的场域，成了没有胆量在政界商界翻滚风浪的鼠辈的避风港。

中国学术界近年来的腐败现象值得我们深省。中国学术界的问题很多，体制不健全，又搞假大空，有泡沫化倾向。再加之人际关系复杂，不能够就事论事，没有坚定的真理信念，把学术发展当成企业发展，只有利益取舍，没有真理是非。让人觉得当前中国的学术界像旧社会大家族，利益纠缠，是非难辨，真的是“清官难断家务事”。主事者又怕得罪人，怕打击学术家族的积极性，不愿当清官，只好看着局面乱下去。

学术界需要有自省的能力，也要有明辨是非的信念与勇气，期共勉。

原文刊载于《书城》2013 年 8 月号

文中述及王元化先生论学术思想一段，源自《九州学林》出版后记《王元化论学》一文

文学创作与言论自由

一

整理旧书，整出一大批有关禁书及图书审查的材料，有中文的，有英文的。中文材料大体分为两类：一类是清朝文字狱档案及禁毁书目，另一类则是历代禁毁的戏曲小说。前者的禁毁理由，经常概括以“违碍”二字，是从政治角度着眼，进行意识形态的扫荡，不准任何“动摇国本”的言论出现。后者则高举教化的大旗，认为戏曲小说有太多“诲淫诲盗”的内容，不利于世道人心，必须坚壁清野，不许老百姓耳目受到污染，像玩偶里的三只猴子，一只双手蒙着眼睛，一只双手捂着耳朵，一只双手封住嘴巴，则“民德归厚矣”。英文材料也主要是这两类，但侧重有所不同，时代集中在二十世纪，大多数涉及色情淫秽的定义，以及在言论自由的原则之下，如何制定图书审查的法规标准。有好几本书都是讨论劳伦斯《查泰莱夫人的情人》及亨利·米勒《北回归线》在欧美法庭的审理过程，探讨如何平衡越轨的言论自由与社会道德秩序之间的矛盾。这类材料很适合国内官员阅读，可以开拓他们的眼界，理清淫秽的法理限制，如何在社会风气开放的变化期间，辨明“情色文学”（eroticliterature）与“淫秽读物”（pornography）的分际，妥善处理色情出版物的尺度。

比较引起我兴趣的是英文材料中涉及文学创作自由与政府图书审查的讨论，因为严肃认真的文学创作与探索有其时代超越性，思考的不单纯是一时一地的政治处境，其中的刻画描述、批评讽刺，或许还有些挞伐，不一定是针对当前政权的正面攻击，而往往是藉由虚构的具体情景，反思人类的存在处境。但是，专制政权却总是反应过度，“老虎屁股摸不得”，自己硬要对号入座，越看越像自己那张丑陋的面孔，不管三七二十一，判定他是“恶毒诬蔑”，一禁了事。然而，优秀的文学作品却怎么禁也禁不掉，“野火烧不尽，春风吹又生”，因为它有艺术的超越性，它滋长的土壤是人类文明耕耘的心灵，超越特定时代的政治环境与社会生态，可以经得起时间的淘洗，流芳后世。如此，在历史的长河里，就凸显了专制政权禁书的可笑与可怜，反映了当权者胸襟的狭窄与虚弱。

这批旧书中，有一本我在一九八九年买的文集，辑录了名作家对图书审查及禁书的评论，都曾在一本《查禁书刊索引》（*Key on Censhorship*）期刊上登载过。书名有点夸张耸动，叫《枪毙作家》（*They Shoot Writers, Don't They?*），文章倒是相当深刻，作者也都是一时之选，有鲁叙迪（Salman Rushdie）、戈迪默（Nadine Gordimer）、昆德拉 (Milan Kundera)、巴兰札克 (Stanislaw Baranczak) 等人。二十年后重读，觉得仍然能够发人深省，特别是对于当今的中国文化人，很有现实意义，值得介绍一番。

二

斯坦尼斯拉夫·巴兰札克（Stanislaw Baranczak）是波兰

波兰诗人巴兰札克

诗人学者，一九六〇年代到一九七〇年代活跃于波兰文坛，出版地下文学刊物，翻译了许多英文诗，并介绍流亡海外的波兰文学作品，推动文学创作的自由化，是当时波兰政府的眼中钉。他在一九八〇年代初移居美国，担任哈佛大学波兰文学教授，继续波兰文的诗歌写作，同时译介了波兰当代诗歌的发展。他的作品很早就收入了米沃什（Czeslaw Milosz，波兰诗人学者，1980 年诺贝尔文学奖得主）主编的《战后波兰诗选》（1983 年修订版），作为一九七〇年代波兰“新潮派”诗人的代表。我在一九八〇年代初，曾有一段时间醉心于波兰现代诗，对波兰诗人能够使用冷峻精炼的文字刻画令人愤慨的社会现实，表面上毫无火气，内里却如即将爆发的火山，感到衷心佩服，因此，从英文转译了相当数量的米沃什及赫伯特（Zbigniew Herbert）的诗，同时也连带翻译了巴兰札克。

他有一首诗《从未真的》，很短，却充满自省的张力，左右开弓，左打波兰政权对人民的压迫，右批知识分子的无能与无奈，力道十足，发人深省：

我从未真的感到寒冷，从未
被跳蚤吞噬，从不知道
真实的饥饿、侮辱、命在旦夕：
有时我怀疑我是否有写作的权利。

还有一首诗《假如你必须嘶喊，请悄悄地喊》：

假如你必须嘶喊，请悄悄地喊（隔
墙
有耳），假如你必须做爱，
请熄了灯（邻居
有
望远镜），假如你必
须在此生活，请不要拴上大门（当局
有
权进入），假如你
必须受苦，请你在自己家里受（生活

有
其法规），假如
你必须活着，请你限制自己的一切
（一切
都有
限制）

犀利得像手术刀，深深切入波兰社会生活的肿瘤，暴露专制制度下的苦难，有口难言，就像他的诗句一样。

他的文章，记述了他一九七一年在波兰，与出版社一位资深女编辑的谈话。谈话的重点是他的一首诗“猪肝肠”，收在正要出版的诗选当中，出版社希望他把诗名改一改。资深编辑很有耐心也很有礼貌地解释：“猪肝肠是最低贱、最廉价的猪肉香肠，会让人联想到波兰人都在吃这种下等香肠，而且再继续往下想，就会以为波兰出现了肉类短缺的危机。”他一着急，忘了说这首诗与市场猪肉短缺毫不相干，根本写的是另外的主题，天真地回了一句，“可是猪肉短缺是事实啊！”资深编辑看着他，语带同情地说：“亲爱的同志，我们彼此了解，心照不宣，可是，这首诗是绝对通不过审查的。”

巴兰札克最后选择撤回原稿，拒绝更改诗题。他事后记述这段往事，最为感慨的是，生存在一九七〇年代的波兰，作家面临的创作环境，就是跟出版审查打交道。作者的创作自由，在层层关卡的限制之下，就像越狱的逃犯，穿越一道道铁蒺藜围墙，即使最后越狱成功，也是遍体鳞伤，血迹斑斑。然而，他同时又感到有点惆怅，因为他在文网密布的环境中，保持自己的信念，拒绝妥协，为良心与真理写作，心灵是自由的，文学创作是理想的追求，给他带来灵魂的提升与快乐。波兰专制政权崩溃之后，文网松弛了，大家可以自由写作了，却好像没有了目标与方向，丧失了自由的目的。

也许中国的老话，在这里用得上：“文穷而后工。”巴兰札克成了哈佛教授，波兰文学权威，生活得太自由、太舒服了，也就丧失了创作自由的快乐。

三

戈迪默的文章《作家的自由》(*A Writer's Freedom*)，写于一九七五年，比她获得诺贝尔文学奖的一九九一年，要早十六年，正是她在南非对抗种族隔离主义，在小说中揭露南非白人残暴的种族主义与专制统治，作品很快就遭禁的时期。她在文章中思考什么是作家的自由，指出："是一个作家对他社会周遭，有个人深刻强烈独特的观点，而能维持并向世界发表的权利。"她特别强调，一个作家要忠于自己，忠于自己独特的个人生活体验，要能深入观察人生，写出"他所看到的真理"，而非顺应他人的号召去写作。她觉得，作家所要追求的自由，不只是一般人以为的反专制、反暴政、反对政治压迫，随着"政治正确"而大谈社会正义的言论自由。对于作家来说，社会上还有一种潜在的压力，暗地里威胁着他的创作方向，让他变成舆论或清议的传声筒，逐渐泯灭了他独特的社会洞察力与独特的个人声音。一个真正的作家，在写作的时候，必须避免卷入政治运动的纲领口

戈迪默（Nadine Gordimer, 1993）

号，避免让自己成为意识形态的发言人。她说："即使身处天使的阵营，作家也要用自己的语言，说出自己观察到的真相。就算遭人指斥会破坏自己的阵营，作家也要保留自己说真话的权利。"

戈迪默的思考，比一般讨论的社会正义与言论自由要深刻，因为她点出，两者之间也可能有矛盾冲突。特别是放到人类历史的长河中来看，特定历史时空的道德与正义，并非永恒不变的，而作家对文化的贡献是文学创作，是提供个人对人类文明的独特反思。伟大的作家之所以伟大，是因为他能超越历史的迷雾，超越特定历史时空的纷扰，以其独到的文字艺术发出睿智的声音，历久弥新。戈迪默说：“这是作家造就社会变化的独特贡献。”因此，文学创作必须自由，不管是同志还是敌人，都应该让作家有创作自由，放他一马，让他的特殊禀赋得以发挥。而作家也要具备自省的能力，不要因为自己的个人好恶，被人牵着鼻子走。

戈迪默的自我期许，是作为一个真正的作家，一个在人类历史文化中可以流传长存的作家。她虽然投身正义的阵营，反抗专制暴政，但同时充满了强烈的自儆，明确自己的定位，不受任何干扰，从个人的视角发出自己的声音，尽量避免陷入道德的自满与正义的骄傲。只有如此，一个作家才能得到真正的创作自由，不会受到意识形态的迷惑，不会被伪装成天使的魔鬼所诱惑。伏尔泰曾说，民主自由的真谛是，对他不赞同的意见，他会誓死捍卫反对者发表言论的权利。这是明白的表态，捍卫每个人的言论自由，是原则性的正义，好懂。戈迪默所说的自由就幽微杳渺得多，是潜存于作家内心的声音，必须在创作文学的过程中，努力挖掘寻找，才能像贝多芬的《第九交响乐》，从隐约幽微的乐音，逐渐扩展成汹涌澎湃的乐章。不是真正可以传世的作家，大概听不懂。

中国现代作家之中，鲁迅算是可以传世的了。以鲁迅的禀赋聪慧，应该听得到内心的文学旋律。可惜他到了晚年，也意识形态化了，真理在手，正义在身，也就写不出《呐喊》《彷徨》《野草》《朝花夕拾》那样的文学作品了。

原文刊载于《书城》2010年12月号

在香港教中国文化

一

学校有一门文化通识课，请我去讲一堂中国音乐与戏曲，两小时。我心想，两小时能讲什么？同学们都是大学生了，好歹也该知道点中国音乐吧？只是不晓得他们的音乐知识是哪一类的？知不知道音乐与中国文化传统的关系？是否了解些许中国音乐的历史进程？

据我所知，香港年轻人若是对音乐发生了兴趣，接触西洋音乐的机会较多，不少人从小学钢琴与小提琴，在欣赏西洋古典音乐方面也颇有心得。近几年来，对中国音乐的兴趣有所提升，主要是学笛子、二胡与古筝，戏曲方面的认识则以粤剧为主。没有音感审美经验的年轻人，则像无根的浮萍，随俗浮沉，随波荡漾，只能被动接受浮游在空气中的声音，分辨不了杂音、噪音与乐音，满脑子塞进乱七八糟的音符与曲调，像堆填区倒进的垃圾。潮男潮女则深恐自己赶不上时代高铁的列车，对当代流行歌曲趋之若鹜，视歌星为膜拜偶像，在失眠的夜晚，幻想自己如何面对难以启齿的梦中情人。此地报章更是推波助澜，不遗余力鼓吹窥视狂的嗜痂之癖，设有专门报道艺人八卦的版面，千方百计营造劣币驱逐良币的社会氛围，阻碍年轻人认识音乐的真谛。

于是，决定跟同学们探讨两个问题：一是中国上古音乐的发展，怎么唱曲，用什么乐器；二是联合国教科文组织公布的世界非物质文化传承杰作，名单中最早赞誉的中国音乐戏曲是昆曲及古琴，之后列了蒙古长调、新疆木卡姆，再后来又列了京剧、粤剧。上课时，我先问同学们，有没有人学过中国传统乐器？很不错，一个八十人的大班，有三个人举手，百分之四呢，两个学过二胡，一个学过古筝。有没有人听过古琴演奏的？没有。观赏过昆曲的？没有。京剧，在电视上看到过，没特别留意。粤剧，爷爷奶奶喜欢，音调还是比较熟的。有人说，看过《帝女花》的演出。至于蒙古长调与木卡姆，连名称都没听过。

我跟同学们说，音乐的成形远早于文字的出现，是远古人类文明发展的重要因素，应该是先有人声的歌咏，再利用各种材料做成乐器。中国在上古时代就有“五声”“七音”之说，说的就是五声音阶（宫、商、角、徵、羽）与七声音阶（宫、商、角、变徵、徵、羽、变宫），主要是以五声音阶谱曲。上古的打击乐器，有钟、鼓、磬；吹管乐器，有埙、钥、篪；弦乐器，有琴、瑟。跟他们说《诗经》的风雅颂，应该都是可以唱，而且能够配乐的。提到第一章《关雎》，倒是有不少同学点头，知道“关关雎鸠，在河之洲。窈窕淑女，君子好逑”，再读下去，有“琴瑟友之”，是不是？这是形容男女拍拖使用的乐器，是属于私人空间的。到了结尾，是“钟鼓乐之”，结婚了，在婚宴典礼上使用庄重的乐器，是公共空间的，显示人际礼仪性的圆满和谐。

至于“八音”，说的不是音阶或音程，指的是八种不同制造乐器的材质：金、石、土、革、丝、木、匏、竹。金是金属乐器，如钟；石，是石头制作的，如磬；土，是泥土烧制的，如埙，如缶；革，是皮革制作的，如鼓；丝，是用丝线制作的，如琴瑟；木，是木头做的乐器，如柷，就是一种击打用的音箱；匏，是葫芦做的乐器，如笙，如竽；竹，是竹制的乐器，如篪，也就是箫笛之类的前身。

同学们听到这里，居然发生了浓厚的兴趣，开始东问西问，还抱怨起来，说以前都没听过这些古代音乐的基本知识，没人教过。我不禁想到《三字经》里说的“养不教，父之过；教不严，师之惰”，看来同学们对中国音乐缺乏兴趣，是因为中小学音乐教育出了问题，连基本知识都没教过。我说，你们还年轻，还来得及去接触，多了解中国传统音乐。我放一段昆曲《牡丹亭·惊梦·山桃红》的录像，以及古琴《阳关三叠》和《流水》的录音，一共大概十分钟，给你们欣赏一下，只能浅尝辄止了。

同学们听完，都说好听，别有风味，优雅清丽，带来了宁谧的遐想，与平常接触的音乐不同。令我欣喜的是，不少同学表示，这节课是他们的新起点，以后要去深入了解中国音乐。

二

文学创作的基础是语言文字，是用文字来表达内心情愫，刻画人世种种际遇，描写天地间诸多事物，展现神人关系，陈述战争的惨烈与和平的安逸。山河大地，鸟兽草木，悲欢离合，喜怒哀乐，都是文学可以呈现的内容。不过，从语言文字到文学艺术，其间有一个转化与升华的过程，关键就在文字的运用。只有驾驭了文字的特性，才能让想象翱翔，超越语言文字的简单传意功能。虽说艺术要兼有内容与形式，但是内容随处皆有，随时可感，即使有敏锐与迟钝之别，生命历验却人皆有之，形式的掌握却不简单。举世皆人，艺术家却不常有。识字的人不少，能通过艺术形式化腐朽为神奇，创造不朽的文学的人却不多。

萨特在《何为文学》中说到文学的巅峰是诗："散文是符号的帝国，而诗歌则与绘画、雕塑和音乐同列……诗人是拒绝使用语言的人……作为诗人，他对于语言所选择的态度是将词语视作事物，而非符号……但若是他专心运用词语，好比画家运用颜色或是音乐家运用音符一样，这并不是说，在他眼中词语已经失去了一切意义。若是词语失去了意义，就只剩下声音和笔画了。不过他对于词语的运用，已经成为一种自然而然的行为了。”虽然萨特不是在讲汉字与诗的关系，但是，这一段解释诗人创作诗歌的思维过程，特别适合探讨中国诗人的创作思维，也可以突出汉字的特性。

中国地广人多，历史悠久，文化与文字的积淀是中国汉字文学的基础与源泉。汉字的强大生命力来自历史文化，来自成千上亿中国人的生活记录，以及文学家呕心沥血的创作。中国人使用汉字已有四千年历史，以方块形式书写，有其独特性，与其他文明使用拼音文字，大异其趣。中国文字不是拼音文字，视觉形象与听觉意指同步进行，相辅相成，相互激荡，语言与文字的关系相当复杂，不但影响文字艺术，也影响思维的脉络。研究记忆的脑神经学家已经发现，使用拼音文字触动脑神经的某一特殊部位，与听觉记忆有关；使用汉字，则在触动听觉记忆部位之外，还触动视觉记忆的部位。

汉字书写的特性，显示中国文字与语言之间，存在相当的距离与回旋空间，容纳视觉思维与听觉思维相互激荡。相比于拼音文字，汉字不止是语言的直接翻版，其中有字形、字义、字音等不同场域的各自传承与相互影响，使得汉字丰富多彩，影响了中国文学的发展。

汉字本身也有演化的过程，从始创到固定成型，大约也经历了两千年历史，有些字连伟大的文字学家许慎都搞不清楚，在《说文解字》中标出六书，所举会意字的典型，居然是“止戈为武”。发现甲骨文之后，我们才知道，“武”字的原意是“荷戈步武”，是要去打仗的意思。原来“天雨粟鬼夜哭”还有曲折的历史进程，像小儿夜啼一样，一直要啼到成人为止。而且，成人之后还会遭遇世间的挫折，老天会掉馅饼，也会掉下废除汉字运动，让人忍不住号啕大哭。秦始皇统一文字之后，汉字的方块外形基本固定，但字义却会因为人们认识的演变而转化，因此也不能说汉字是一成不变的。汉字字形完全固定下来，大概跟印刷术的发明有关，这也是为什么正楷字体可以一直沿用到今天的原因。

汉字经历两千多年而字形基本不变，是人类文明史上少有的现象，的确有其特殊性。是否特殊优秀，则是另一个问题。五四群贤就持反对意见，他们认为汉字的特殊性就是原始民族的劣根性，特别腐朽落伍，阻碍了科学与民主的发展。鲁迅说过“汉字不灭，中国必亡”，与许多激烈的文化先进一起，向往汉字拉丁化。我们今天还能继续以汉字书写文学，读汉字印行的诗经楚辞、唐诗宋词，真是阿弥陀佛。

三

学校开了一门通识课程，叫“文化中国”，规定要用英文来教，显示在国际化与大学排名方面，有了与时俱进的决心。时髦归时髦，却引发了同事的腹诽，质疑为什么一门中国文化课，学生都是中国人，教学材料基本都是中文，却要舍弃优质的课件，用些不三不四的英文翻译来教。学校的理由是，香港是中英双语通行国际大都会，香港人应该中英俱佳，可是现在的大学生英文程度不过关，在D与E之间徘徊。怎么办呢？当然只好加强英文，规定所有课程一律要英语教学，如此才能国际化，达到英美的标准，在英国人营造的大学排名榜上，继续攀升，建构世界一流大学。

为了如何用英语讲授“文化中国”，中文系的同事吵翻了天。同事们个个学富五车，从甲骨文到章太炎，从诗经楚辞到鲁迅张爱玲，都研究得透彻，而且各有心得，却都将这门课视为畏途，不肯去教。某甲说，我是中文系出身的博士，专门研究唐宋诗歌，专书也出过两本，可是，你叫我用英文去讲唐诗，怎么讲得清楚？我又不是翻译学专家，怎么讲杜甫的《秋兴八首》？“玉露凋伤枫树林，巫山巫峡气萧森。”那个苍凉，那个萧瑟，那个无边无际的秋气，弥天盖地，只用了十四个字，境界全出。你用英文怎么讲？像玉一般的露水凋伤了枫树林？Jade-like dew damaged maple forest？杜甫写诗，遣词用字一丝不苟，节奏韵律中规中矩，讲究得不得了。构筑意象更是千锤百炼，说过“意匠惨淡经营中”，还说“为人性僻耽佳句，语不惊人死不休”。你要我用英文去讲，会讲出个什么样的杜甫？学生会怎么理解杜甫的“晚节渐于诗律细”？不是我不肯教，是我不能教，非不为也，是不能也，教也教不出个名堂。敲碎了祖宗的骨头，沿街叫卖，为了讨好洋人与洋奴，为了提升大学排名，为了学生就业求职，能在跨国公司面试的时候，说一句“I have studied Du Fu”，以显示国际化的文学修养，实在不是我的专长。

某乙也抱怨，说研究了一辈子佛教，还特别学了梵文与巴利文，是为了通晓佛学发展与演变的轨迹，那是学术研究的途径。要我用英文教中国佛教，我也能教，可是学生听得懂吗？比如说，大家熟悉的观音菩萨叫Avalokitesvara Bodhisattva，阿弥陀佛叫Amitabha Buddha，大乘叫Mahayana，华严经叫Avatamsaka Sutra。用英文讲中国佛教，让学生本来熟悉的词语与概念变得生疏，听又听不懂，一堂课上得迷迷糊糊，一头雾水，不知道你在说什么。目的何在？是为了学英文，还是制造学生学习的困难，打击学生学习中国文化的兴趣？我们教佛教，是要学生理解佛教对中国人的深远影响，要他们知道自己思想中有许多佛教因子，要同学理解自己，理解自己的文化环境，又不是教他们到外国去传教，干吗要用英文教？

抱怨虽多，课程已经规定下来了，还是得教，谁去呢？同事们想出了民主办法，推举留过洋的去教。某丙是英国留学，研究社会史的，教中国社会与家庭结构；某丁留学美国，研究中外交通史，可以教中国历史与中西文化交流，什么一带一路都能教。中国语文与文学怎么办？用英文教汉字演变，教古典文学，教李商隐的《锦瑟》，什么“沧海月明珠有泪，蓝田日暖玉生烟”，可真是得找个卖刺猬的张飞（人硬货扎手），否则揽不下这差事。同事看着我，说你不是在美国教了二十年中国文化吗？干脆拿香港学生当白老鼠，用你教美国学生的方式教，就算他们“此情可待成追忆，只是当时已惘然”，至少你也提高了他们的英文程度，让他们可以享受美式教学的待遇。我心想，原来是要我去教一门英语课，却假装是教中国文化，真不知道这种大学教育要伊于胡底。

教了一学期，发现学生的英文程度实在不行，而中国文化又一窍不通，教起来十分吃力。只好跟他们讲历史故事，讲司马迁受了宫刑还坚持写《史记》，讲《长恨歌》与《长生殿》的杨贵妃故事，同学倒是听得津津有味。不过，我越来越担心，香港的大学教育，唉。

原文刊载于《书城》2016 年 5 月号

江湖满地

香港中学生毕业，除了想到欧美留学，现在也考虑到内地升学，希望能进一所知名的大学，如北京大学、清华大学、复旦大学之类。内地大学向香港招生，今年开始施行“免试招生计划”，有六十三间大专院校接受香港学生申请，无需另行笔试，只要香港的文凭试或高考成绩达到一定水平，通过口试，表现优异，就可录取。不久前，北京大学来香港进行面试甄选，问香港考生如何英译“江湖”一词。考生不知所措，教授只好提示，让学生从《水浒传》的书名来思考，并且要让外国人了解其中所蕴含的中国文化意义，考生们才提出“brotherhood world”及“heroic places”的译法。事后的新闻报道，强调考题刁钻古怪，并且把学生的译法当作标准答案，大肆炒作了一番，好像大家经过北大教授的耳提面命，都懂了“江湖”的中国文化意义，就是呼保义宋江手下那些江湖好汉的世界。

“江湖”如何英译？译成 brotherhood world 或者 heroic places 恰当吗？

其实，翻译一个词，就跟解诗一样。诗无达诂，文化蕴含量愈高，就愈难定于一尊，就有各种解释的可能，而且都算通达。同理类推，一个中文词语的文化蕴意丰富，就可以出现各种不同的英译。香港报章讨论“江湖”一词，翻来覆去，其实只讲了一层意义，就是“江湖人物”的江湖，让人感到，现代中国人生活在香港，潜意识里十分无奈，“人在江湖，身不由己”。

说起中国文化传统，“江湖”一词出现在《庄子·大宗师》：“泉涸，鱼相与处于陆，相呴以湿，相濡以沫，不如相忘于江湖。”这里的“江湖”怎么讲？怎么翻译？陈鼓应的《庄子今注今译》是这么译成白话的：“泉水干了，鱼就一同困在陆地上，用湿气互相嘘吸，用口沫互相湿润，倒不如在江湖里彼此相忘。”企鹅丛书近年出了彭马田（Martin

Palmer）等人英译的《庄子》，译文如下："When the springs dry out, the fish are found stranded on the earth. They keep each other damp with their own moisture, and wet each other with their slime. But it would be better if they could just forget about each other in rivers and lakes."“江湖”在庄子笔下，就是“江河湖泊”，翻成英文就是“rivers and lakes”，原意如此，没错的。你总不能说《庄子》不算中国文化，只有《水浒传》才是要让外国人都了解的中国文化吧？你打开字典瞧瞧，比如陆谷孙的《汉英大辞典》，“江湖”的第一义，即是原意，就译成 rivers and lakes，其次所列的引申义，才是带点秘密会社或黑社会含义的 brotherhood。

近来北京大学为了推广国学，开创了付费的“国学短信”，每天提供一条经典古文，效颦于丹解经，说些现代中国人容易入耳的人生哲理。其中就有《庄子·大宗师》的这一段：“相濡以沫，不如相忘于江湖”，接着跟了一大段心灵鸡汤式的爱情哲学：“庄子说：与其相濡以沫，不如相忘于江湖。如果相濡以沫表现的是亲密无间的热爱，后者就是给对方空间、各适其适的冷爱。距离产生美，这对爱也适用。”看来北大学者已经走出了象牙塔，走到江湖上，成了铁嘴神算式的江湖人物，给人解说爱情的纠结，解忧舒烦了。也难怪到了香港，入境随俗，考起“江湖”的英译，满脑子就是港片里的江湖，给学生的提示，也是《水浒传》里的江湖可以代表中国文化精神。

说到中国文化传统，在精英阶层的心目中，“江湖”一词，是与“庙堂”相对的。范仲淹《岳阳楼记》讲到古代“仁人之心”，“先天下之忧而忧，后天下之乐而乐”。作为士大夫楷模的仁人君子，处世有道，更有永不息止的社会关怀：“不以物喜，不以己悲；居庙堂之高，则忧其民;处江湖之远，则忧其君。”范仲淹以“庙堂”与“江湖”作为对仗，十分清楚显示：身居庙堂，是当官的，大权在握，是国家的政治领导，要关心民瘼；而身处江湖，是身无权柄的士大夫文化精英，也要关心国家大事，不能事不关己，就高高挂起。转为现代话语，身处江湖，就是民间的公共知识人，“家事、国事、天下事，事事关心”。范仲淹的“江湖”，绝对不是《水浒传》中聚义梁山的江湖，也不是杜月笙控制上海黑社会的江湖。真要让外国人了解范仲淹的“江湖”，也许可以说，很像现代西方媒体监督政府，时刻不忘为民请命。请问，怎么英译？可以翻成 brotherhood world？ 翻成 heroic places 吗？

我们都熟悉杜甫的《秋兴八首》，第七首是：“昆明池水汉时功，武帝旌旗在眼中。织女机丝虚夜月，石鲸鳞甲动秋风。波漂菰米沉云黑，露冷莲房坠粉红。关塞极天惟鸟道，江湖满地一渔翁。”这里说到“江湖满地”，“江湖”一词怎么解？金圣叹《杜诗解》说：“况时方战伐，蜀山鸟道，为关塞之至险，乃自上皇回銮以后，僭乱相仍，极天之险，竟无足恃。顾此江湖，滔滔皆是，将何底止邪？然而抱江湖之忧者，只一个渔翁，虽忧亦安所用之？其必在当事虑患于未然哉！渔翁，盖先生自谓也。”且不管那个渔翁是不是杜甫自己，他说的江湖，就是庙堂之外的山河大地，既有山川河流的原意，也有国家疆土的引申义，是让有志之士忧心的天下，却绝对没有绿林豪杰、英雄好汉的江湖义气。有人英译诗中的“江湖”，就译成“rivers and lakes”，看来也还贴切。

晚唐的杜牧有首《遣怀》，也是大家耳熟能详的：“落拓江湖载酒行，楚腰纤细掌中轻。十年一觉扬州梦，赢得青楼薄幸名。”杜牧在扬州幕府十年，郁郁不得志，“落拓江湖”，指的也是与庙堂相对的江湖，而不是大碗喝酒、大块吃肉的江湖。就算杜牧整天醇酒美人，是个薄幸郎，他的江湖却与豪气干云无关，也不可能英译成 brotherhood world 或 heroic places。

“江湖”一词，的确蕴含中国文化传统的深意，在古典文学中俯拾皆是，只是与北大教授的提示不尽相同。不过，假如香港的考生能够在口试的时候，也提起杜甫诗中的“江湖满地”，讲讲“江湖”一词在不同文化层次的各种蕴意，一定能让教授们刮目相看，录取是没问题的。

三国人物歇后语

有朋友最近写了本书，说《三国演义》和《水浒》坏人心术，流传又广，是中国民族性堕落的源泉，造成了中国人的丑陋。看了《三国演义》，学的是曹操的奸诈、刘备的阴险、孙权的机谋、周瑜的心怀鬼胎、诸葛亮的诡计多端、司马懿的谲险多疑，最后是酿出一肚子坏水，包藏祸心，机诈权谋，阴谋诡计，使得中国的政局诡谲多变，左手翻云右手雨，翻天覆地视等闲。看了《水浒》，学的是流氓强盗的心理，假借替天行道之名，怂恿工农阶级翻身，打家劫舍，好勇斗狠，更兼杀人如麻，伤及无辜。动不动就拳打镇关西、血溅鸳鸯楼、血洗江州城，视人命如草芥，毫无上天好生之德。他说，最好不要读这样的“糟粕”，要读中国古典小说的“精华”，读追求理想世界的《红楼梦》，才能净化中国人的心灵，提升内在的善因。

其实，历代有许多道学先生都从社会维稳的角度思考，认为小说戏曲在民间有煽动性，不是“诲盗”，就是“诲淫”，存在很大的治安隐忧，应该禁绝。不过，古人的视野比较偏狭，缺少了我朋友强调的现代性，没有西方文化启蒙之后的情欲解放观，主要的攻击目标是《水浒》与《红楼梦》，说《水浒》诲盗，《红楼梦》诲淫。根据王利器编辑的《元明清三代禁毁小说戏曲史料》、孙殿起《清代禁书知见录》、丁淑梅《清代禁毁戏曲史料编年》等书，你会发现，传统社会从来没想过《三国演义》是败坏人心的根源，是统治阶级散布封建遗毒的“源头活水”。要禁，也只禁《西厢记》《牡丹亭》《金瓶梅》《红楼梦》《水浒》，不禁《三国演义》。由此，对朋友拥有全球化视野之后，别具慧眼，看穿了中国传统政治文化的症结病灶，感到十分佩服。

然而，不论是在传统还是现代的中国社会，从过去的封建意识到二十一世纪的后现代想象，在一般老百姓的心目中，刘关张桃园三结义的象征意义，是美好的友情与生死相托的义气。刘备、关羽、张飞，在人们心目中大体都是正面形象，没有什么负面的联想。至于诸葛亮，更是历代不断称颂的完美人格，是智慧与忠诚的结晶，是“鞠躬尽瘁，死而后已”的典型。杜甫诗中感慨他“出师未捷身先死，长使英雄泪满襟”，却在拜谒武侯庙之后，给他一个历史定位：“诸葛大名垂宇宙，宗臣遗像肃清高。三分割据纡筹策，万古凌霄一羽毛。伯仲之间见伊吕，指挥若定失萧曹。运移汉祚终难复，志决身歼军务劳。”这也是中国传统小说及戏曲舞台上呈现的诸葛亮，摇着鹅毛扇，风度翩翩，指点江山，决胜于千里之外，使得没有现代民主意识的小老百姓佩服得五体投地。

我曾经搜集过中国各地的歇后语，想从中窥见老百姓日常思维的脉络，也想通过他们使用语言游戏的俏皮与机智，看看他们怎么看待历史人物。他们或许混淆了历史真实与小说戏曲的虚构，但是这些人物却是他们生活意识中极其真实的部分，是日常思考与对照的历史经验。关于三国人物，最常出现在歇后语里的，就是刘、关、张与诸葛亮。我把一些典型的例子列在下面，大家瞧瞧。先看刘备：

刘备编草鞋：本行。

刘备卖草鞋：人软货不硬。

刘备的江山：哭出来的、越哭越稳。

刘备招亲、刘备娶亲：弄假成真。

刘备借荆州：有借无还、光借不还。

刘备三顾茅庐：请你这个诸葛亮。

刘备摔阿斗：收买人心、笼络人心。

再看关羽，则称呼有多样化趋势，有直称、有敬称、有昵称。因此，有称为关羽、关云长的，有称关公、关大王的，有称关夫子、关老爷的，也有称关二爷的。不过，没有人过度僭越，敢称他为关老二的：

关公卖豆腐、关大王卖豆腐：人硬货软、人强货软。

关二爷放屁：不知脸红。

关公脖子长肉瘤：脸红脖子粗。

关公流鼻血：红上加红。

关公战李逵：大刀阔斧。

关公战秦琼：乱了朝代、挨不上、从何说起？

关公开刀铺：货真价实。

关公门前耍大刀、关帝庙前耍大刀：自不量力、不知丑。

关公耍大刀：拿手好戏。

关公走麦城：死到临头、离死不远。

关老爷赴会：单刀直入。

关云长说三国：光说过五关斩六将，不说走麦城。

说到张飞，歇后语特别多，而且常常拿来调侃，好像觉得张飞比较粗楞，开开玩笑无所谓，不至于得罪了手使丈八蛇矛的张翼德：

张飞扮姑娘：咋搞咋不像。

张飞唱曲子、张飞唱戏：粗声粗气。

张飞吃秤砣：铁了心。

张飞吃豆腐：不费劲。

张飞穿针：粗中有细、大眼瞪小眼、有劲没处使。

张飞的胡子：硬岔（茬）。

张飞裹脚：难上难。

张飞哈气：自我吹嘘（须）。

张飞敬酒：胡（壶）来。

张飞开店：鬼不上门。

张飞开饭店：没人敢上门。

张飞卖秤锤：人强货硬。

张飞卖刺猬：人硬货扎手。

张飞卖豆腐：黑白分明、人硬货软。

张飞卖铁锤：人货两硬。

张飞卖铜锣：人硬货响。

张飞卖针：粗中有细、人强货扎手。

张飞骑老虎：人强马壮。

张飞请客：不敢不去。

张飞讨债：谁敢不给。

张飞绣花：粗中有细、力不从心。

张飞战李逵：黑对黑。

对比刘关张，可以看到民间印象中，桃园结义的三兄弟个性相当不同。刘备卖草鞋，是“人软货不硬”，关键是强调他个性软弱。关公与张飞卖豆腐，都是“人强货软”，突出他们个性强硬。说到关公与张飞的差别，则是突出一个红脸，一个黑脸。因此，会出现对关公不甚礼敬的“关二爷放屁”“关公脖子长肉瘤”“关公流鼻血”这类的比方。至于张飞的黑，则说得理直气壮，不但跟雪白的豆腐来相衬，出现了“黑白分明”的歇后语，还拿来跟《水浒》的李逵这条黑大汉比黑。

有趣的是，刘关张的歇后语中，有些不太礼貌却颇得神韵的比方，显示了民间智慧时有神来之笔，像钱锺书先生一样，只顾嘴巴痛快，管不得礼数了。如“刘备的江山”“刘备招亲”“刘备借荆州”“刘备摔阿斗”，都不但是一针见血，而且见血封喉。说到关公，居然一点也不避讳，敢于调侃，说出“关公走麦城”“关云长说三国”这样的话头。对于张飞，那更是无所避忌，不但拿他来比姑娘（扮姑娘、唱曲子、穿针、裹脚、绣花），以突出他个性粗鲁，还把他形容得凶神恶煞一般（敬酒、开店、骑老虎、请客、讨债），做事莽撞。

对于三国中智术过人的诸葛亮与周瑜，好像也不甚尊敬，强调的是机诈与权谋。关于诸葛亮的歇后语不少，如“诸葛亮唱空城计：不得已”“诸葛亮借东风：神机妙算”“诸葛亮六出祁山：劳而无功”，都是老生常谈，而且像是三家村冬烘秀才的手笔，没什么泥巴气味。只有少数相关的歇后语，比较有趣，比较像老百姓讲的话，如：

诸葛亮的扇子：不离手。

诸葛亮掉井里：无计可施、英雄无用武之地。

诸葛亮哭周瑜：假的、假慈悲。

诸葛亮给周瑜吊孝：装模作样。

诸葛亮舌战群儒：全凭一张嘴。

诸葛亮皱眉头：计上心来。

跟周瑜有关的歇后语，最流行的当然是“周瑜打黄盖：一个愿打，一个愿挨”。还有一句利用谐音之转，十分有趣：“周瑜摆手（或招手）：嘟嘟（都督）叫。”想来是乡下人看三国戏，看到周瑜在舞台上的演出，一摆衣袖，开唱起来，唱的是雉尾生尖锐高亢的唱腔，真像唢呐一样，嘟嘟嘟嘟地叫。类似的情况，是“诸葛亮的扇子：不离手”，也是戏中诸葛亮出场，永远不变的舞台形象，也算是歇后语中的瑜亮情结，异曲同工。

汉语拼音

贺卫方先生在《苹果日报》(2012年7月15日)的“苹果树下”，指出周有光先生对汉语拼音做出重大贡献，但却忽略了文化传承的问题，所以他写了文章，提出“一个不该忽略的大问题”，并把题目拟为相当耸动的《文化断桥》。他提出的“大问题”是什么呢？我看来看去，只看到这一点：“中国的人名地名，由威妥玛-翟理斯注音法(Wade-Giles System)变为汉拼，造成了某种文化传承的断裂。”该文举了一些“断裂”的例子，如钱锺书长期以来拼作 Chung-shu Ch'ien，现在变成了 Qian Zhongshu，建议“可否……在涉及人名地名时，仍沿用威氏以及威氏法之外已有定名的注音法？……维护了历史的延续性”。

贺先生提出的说法，认为汉语拼音不同于以前通用的 Wade-Giles 拼音法（下称“威翟法”）或“邮政拼音法”（Postal Spelling System），造成“文化传承的断裂”，假如不是故作惊人之语，就是对汉语拼音所涉及的文化传承产生了根本的误解。

中文用拉丁字母来拼写，有两个层次完全不同的宗旨与目的：一个是民国期间激进知识分子主张的汉字拉丁化，目的是最后废除汉字；另一个是以拉丁字母当作注音符号，目的是作为汉字读音的辅助。汉字拉丁化运动，在民国前期曾经风行一时，与当时激进主义的反传统精神一致，认为中文使用难学难写的汉字，固步自封，泥古不化，是文明落伍的表现，一定要学习西方先进的拼音文字，才能让普罗大众都能掌握语言文字。鲁迅就说过：“汉字和大众，是势不两立的。”还在《中国语文的新生》一文中说道：“倘要生存，首先就必须除去阻碍传布智力的结核：非语文和方块字。如果不想大家来给旧文字做牺牲，就得牺牲掉旧文字。”（收入《且介亭杂文》）语言学家陈原年轻的时候，也曾为了扫除文盲，鼓吹大众语文，反对“迷恋着汉字的骸骨”，在一九三五年写了一连串提倡汉字拉丁化的文章。这种极端反传统的态度，未免是激进反传统潮流中“愤老”与“愤青”的举措，带有革命的意气，在二十一世纪的今天看来，不啻“把小孩跟洗澡水一起倒掉”，不会有人再去积极鼓吹。我相信贺卫方的说法与这个层次无关，并不是讲汉语拼音导致汉字废除，因此，从文化传统的承继而言，也就没有什么惊天动地的“文化传承的断裂”。

贺先生所说的“文化传承的断裂”，其实与中国文化传承是否断裂无关，只是从不懂中文的西方人角度，或是阅读没有中文方块字的西文图书的角度，讲汉语拼音的拼写方法不同，给习惯了老方法的读者造成了一定的障碍。只是一个汉字标音的问题，是以西方语文如何拼写汉字专有名词的问题，其实，不值得如此大惊小怪。以拉丁字母当作音标，以此拼写汉字，是不懂或初学汉语所使用的方便法门，首开先例的是西方的传教士。最早从事系统化汉语拼音工作的，是明末清初利玛窦等耶稣会教士，用来学习汉语，并以之拼写人名地名等专有名词。如孔夫子的拉丁文拼音为Confucius、孟子为Mencius，是趋近于拉丁文发音的拼写方法，而非贺先生以为的“威翟法”传统注音。从贺先生这个不经意的误解，可以看出，他认为周有光的“很少虑及”，其实显示了他自己忽略了西方的中文拼写方式，在不同时代及不同国家的语文，有多种拉丁字母拼写汉字的系统，而“威翟法”只是英语世界中最为通行的拼音法。早期是以拉丁文系统来拼写，到了十九世纪末、二十世纪初，在英、法、德等等欧洲语文体系之中，各自发明一套甚至几套拼音系统，用来拼写中国的人名地名。要说中国人名地名拼成拉丁字母的混淆，造成西方人记述中国专有名词的“文化传承的断裂”，早就发生了，根本轮不到一九五〇年代以后才发展出来的“汉语拼音”。

让我们举几个简单的例子来说明。假如以“中国”作为拼音的专有名词，在过去西方霸权时代，英语世界的威翟法是Chung-kuo，法语世界是远东学院的Tchoung-kuo，德语世界用的是Lessing-Othmer系统的Dschung-guo；以“西方”来拼音，则威翟法是Hsi-fang，法语是Si-fang，德语是 Hsi-fang。“北平”作为地名，也不会饶了你，英语的威翟法是 Pei-p’ing，法语也是 Pei-p’ing，德语是 Bei-ping；改作“北京”，则威翟法是 Pei-ching，法语是 Pei-king 或 Pei-tsing，德语是 Bei-djing。你还没头昏吗？让我们来试试人名，张作霖：威翟法是 Chang Tso-lin，法语是 Tchang Tso-lin，德语是 Dschang Dso-lin。段祺瑞：威翟法是 Tuan Ch’i-jui，法语是 Touan Ts’i-jouei，德语是 Duan Tji-jui。厉害吧？西方文化霸权笼罩世界的时代，从未忘记发展自己的文化霸权，汉语的拉丁字母拼音，也就五花八门，百花齐放。说周有光先生参与制定的汉语拼音，忽略了“文化传承”，真不知是从何说起！

或许有人认为过去有邮政拼音法，大家习惯了，改换成以普通话为主导的汉语拼音，会造成“断裂”。这种情况是存在的，特别是对于完全不懂汉字的洋人而言，把 Peking 改为 Beijing，把 Chungking 改为 Chongqing，让人完全糊涂了。会有洋人说，自己的曾祖父当年参加八国联军，在 Peking 占有一座三进的大院子，在什么 Goldfish Hutong 的，跟现在的中国年轻人讲古，说什么 Beijing，完全是鸡同鸭讲，哎，“文化传承的断裂”啊。其实，所谓的邮政拼音法，是由英国人控制大清国邮政，怕各种西方语文的拼法混淆中国地名，造成邮递错误，而在一九〇六年凑出来的办法，说得好听，就是按照洋人的习惯，约定俗成。北京拼作 Peking，南京作 Nanking，天津 Tientsin，大体上是按北方官话来拼。苏州拼作 Soochow，杭州 Hangchow，福州 Foochow，就有点乱了。厦门拼成 Amoy，金门 Quemoy，汕头 Swatow，就混进福建方言，只求邮递方便，完全不顾汉语是不是要有统一的规划。至于广州拼作 Canton，只显示邮政拼音法根本不在乎以讹传讹，混淆了广东与广州也不做更正，或许可以算作西方“维护了历史的延续性”之一例吧。

周有光先生大半生从事汉语拼音方案的研究与制定，参考过各种拼音系统，体大思精，不曾因为忽略了什么历史传统，而造成文化传承的断裂。汉语拼音不可能尽善尽美，原因不在于拼音系统的完备与否，而在于汉字本来就不是拼音文字，拼音只是为了方便初学或是西方语文的录写。进入二十一世纪，中国文化的传承的确出了大问题，礼崩乐坏，但却不是汉语拼音方案造成的。西方人习惯的拼音方式，也与维护历史文化的延续性没有很大的关系。千万不要颠倒主从，妄说什么“文化断桥”。

原文刊载于《九州学林》总三十一辑

奇威果与猕猴桃

一

读报刊文章，见有人提到“奇威果”（又译“奇异果”），说是怎么怎么的珍奇，营养价值又高，含有大量维生素C，现已成了欧美上流社会青睐的果品云云。初看这“奇威果”三字，的确感到新鲜，不知是什么奇花异卉的果实，后来又读到这奇威果是新西兰特产，才恍然说的是新西兰外销的Kiwi fruit。

其实，这种满身密布细绒的浆果，本来不叫奇威果的。“奇威”一词，本来另有所指，是新西兰所产的一种不会飞的鸟类。这种鸟体呈卵形，尖喙长嘴，灰褐色的羽毛紧贴身躯，双翼已经退化，像只畸形的怪鸡，鸣叫起来作Kiwi

Kiwi之声，因此新西兰的土著毛利人称之为“奇威”。这于十九世纪英文文献可征，因为那时正是英国人殖民海外，拓殖澳洲、新西兰之际，看到这种不会飞的怪鸟，大感兴趣，便笔之于书，算是当时的“海外奇谈”。

在一八三五年William Yate的《新西兰见闻》（*An Account of New Zealand*）中，就说到“奇威”是“新西兰最令人叹为观止的鸟”。在《新西兰的鸟类》（*Birds of New Zealand*）一书中，作者Buller记载他于一八七三年曾在淘金者的棚舍里吃过炖奇威鸟。想来大概和炖鸡的味道差不多吧？这奇威鸟不会飞，捕捉起来自然容易一些，那情况约莫就像清教徒初抵美洲，不久就有火鸡可以捕食一样。

因为这奇威鸟双翼已经完全退化，连偶尔学学一般鸡种或火鸡振翅飞上十几尺的本领都没有，待到飞机发明、空军出现之后，部队里就叫那些空军地勤为“奇威”，显然是讽刺这些名为空军却从来上不了天的部队。由《牛津大辞典》的录载来看，到了一九二〇年代末，这“奇威”一词，在英文中还专指这种不会飞的鸟，不曾用来称呼浆果的。

那么，现在风行的这种浆果，怎么会称作奇威果呢？原来不叫奇威果，那又叫什么呢？

只要我们一对比奇威果与奇威鸟的外形，就会发现，两者都是蛋形的躯体，外覆灰褐色的绒毛。显然，这种果实称作“奇威”，是因为外形像奇威鸟而得名。那么，新西兰的土著在白人殖民者来到之前，是不是也叫这种浆果“奇威”呢？

这问题倒好回答：不是。因为这种果树是在二十世纪才移植到新西兰的；白人来到之前，土著根本没有见过。从哪里移来的呢？英国吗？

当然不是。假如原产在英国，原先必定有一个英文名称，不至于兜了这么个大圈子，先因为它外形像某种新西兰的怪鸟，又因为鸟叫声是Kiwi，所以辗转假借，成为通用的名称。那么，从哪里移来的呢？

好了，告诉你吧：从中国。

怎么又是中国呢？怎么什么都源自中国呢？火药、罗盘、印刷术，还不够吗？怎么连个奇威果，都要源自中国呢？鲁迅说许多好东西都源自中国，可是中国人只会用来放鞭炮、看风水之类。等到洋人派上了大用场，我们又自我陶醉在“西学源出中国”的呓语里。这个浆果都让新西兰移植培种，成为行销世界的高级果品，而我们还数典忘祖，不知它是哪里来的。可是，反过来讲，知道它源出中国又怎么样？还不是新西兰在种植、行销、获利？

二

好了，别发牢骚了，听我说这果子的原名吧。这果原来叫作猕猴桃，学名“中华猕猴桃”，拉丁学名 Actinidia chinesis。

我也从来不知道这所谓奇威果的东西，居然还有个中国原名，直到三四年前，有次在波士顿，和哈佛植物园的吴秀英博士聊天，不知怎么提到了 Kiwi fruit。她说，这个东西有个中文名称的，而且本来就源出中国。我听了一愣，心想，连这玩意儿都源出中国？就问，为什么从来没听人提起？她说，中国人不培育种植，都是野生的，比较酸。抗战期间，她到青城山去采集植物标本，就看到山里很多，道士有时摘来当果品，山里的猴子倒是吃得开心。她还告诉我，到了二十世纪初，洋人才移植到新西兰，近几十年才有经济价值的。

此后，我才开始留心猕猴桃的资料，得知这猕猴桃树，属猕猴桃科，落叶木质藤本，小枝密生毛。叶卵形或圆形，下面密生灰色毛。夏季开花，聚伞花序，花白色，后变黄色。浆果夏秋间成熟，卵形略呈球状，长二点五至五厘米，初时密被绒毛，熟时无毛，黄褐绿色。产于我国中部、南部至西南部。果味甜，含多种维生素，可食，并可制果酱或酿酒；根入药，有清热利水、散瘀止血作用；叶能止外伤出血；树皮和髓可造纸。亦称“杨桃”或“羊桃”。

不过，这个“杨桃”与台湾常见的杨桃不是同一个东西，不能望文生义，就来等同。华南及台湾盛产的杨桃，学名是五敛子，拉丁名 Averrhoa carambola，属酢浆草科，是常绿或半常绿乔木。浆果是椭圆形，有五棱，间或三至六棱；

未熟前果皮青绿色，熟时黄色。总之，猕猴桃此杨桃，非五敛子彼杨桃。

三

为了搜罗过去描述猕猴桃的资料，我也翻阅了地方志，尤其是《青城山志》。翻遍了《青城山志》，不见资料记载。后来又仔细阅读《物产》一卷，记有一种“萇芝”，兹引于下：

《益部方物赞》：“隈芝，生邛州山谷间，树高丈余，枝修弱，花白，实似荔支，肉黄，甘味可食，大若爵卵。赞曰：挺干既修，结花兹白，戟外泽中，甘可以食。”

《纪胜》：“蜀中一种木，彼人呼为萇芝。其树常高丈余，不甚增长。花小而白，每一岁开花，次年方结子，次年方熟。子如楮实，有文如龟背，味甘酸可食。今青城山范仙观，邛州蒲江县崇真观皆有之。见《云谷杂记》。或呼瓌芝，盖语讹，故《临邛记》只作萇。”俗传以为仙果。

根据这里的资料，不能断言萇芝就一定是猕猴桃，但看来有几分近似。古人对植物分类的描述，一向不甚精确，尤其是牵涉到长期观测的科学实验，时常作大胆论断，后人便以讹传讹，像这里说的“第一年开花，第二年结果，第三年方熟”，虽然不似《西游记》里的人参果“三千年开花，三千年结果，再三千年才熟”，那观察却颇有问题。然而，形容花果的模样，尝起来的滋味，一般都还是亲身经验，比较可信。因此，有可能是猕猴桃。

在《青城山志》里没有找到猕猴桃，倒在读《岑参诗集》时，无意碰上了有关猕猴桃的资料。岑参的《宿太白东溪李老舍寄弟侄》一诗，有这样的句子：

渭上秋雨过，北风正骚骚。
天晴诸山出，太白峰最高。
主人东溪老，两耳生长毫。
远近知百岁，子孙皆二毛。
中庭井栏上，一架猕猴桃。
……

这诗是岑参过太白峰麓，夜泊东溪李老舍的即事之作。在《文苑英华》《唐文粹》及《全唐诗》中，此诗题作《太白东溪张老舍即事寄弟侄等》，老者的姓氏不同了。但不管老先生是张三还是李四，此诗是即事即景之作却不会错的。在此，岑参告诉我们，他经过太白山麓时，秋雨刚过，北风萧萧，歇宿在东溪老者家里。老者年纪已经百岁，庭中井栏上面，有一架猕猴桃。此诗紧接的几句是："石泉饭香粳，酒瓮开新槽。爱兹田中趣，始悟世上劳。我行有胜事，书此寄尔曹。"显然，岑参所谓的"胜事"即是这种乡村的野趣，而猕猴桃架在庭院之中，更清楚点出情景的山野之趣。

四

由此，我们也可推想：猕猴桃在唐代诗人的想象中，是与山林丛莽相连的。和千里驿驰以进，供杨贵妃啖食的荔枝，固然不可同日而语，和西域进贡的葡萄也有天渊之别。顾名思义，猕猴桃当然是给猕猴吃的，或许野老偶一啖之。

总之，不是上流社会见世面的果品。

是不是因为这种钟鼎山林相异的原因，使得猕猴桃从来得不到中国人的青睐，从来不去广为培育种植育种呢？那我就说不清了。但看看中国人吃东西时，总爱做一大堆文字审美的联想，或许，猕猴桃不能入流的原因也就可思过半。吃荔枝时，想到“一骑千里荔枝来”；吃木瓜时，可以想到“报之以琼琚”；吃木桃（樝子），“报之以琼瑶”；吃李子，“报之以琼玖”。连吃个橘子，还可想到周邦彦的“并刀如水，吴盐胜雪，纤手破新橙”呢。

或许，经过了以上的“正名”工作之后，我们还是称呼这种浆果为奇威果吧，因为那是来自新西兰的，是舶来品，是“雅痞”的宠物。要是真的正了名，由政府下令，规定名称为猕猴桃，违者送警法办，那么，现在吃得津津有味的名士淑女，下次再吃时（已称猕猴桃时），恐怕要觉得牙酸的。

本文原发表于台湾1986年1月31日《中国时报》
“人间”副刊第32版，署作者笔名程步奎

茉莉花的来历

赵翼《瓯北集》卷六，有一首七言古诗《哈密瓜》，描写甘美的哈密瓜来自老远的西域，“路遥价贵竞珍重”。他由此而想到，中国许多物产原来都来自外国，后来移植到中土，变成中国物产。他不禁遐想，是否也有什么本领高超的植艺人，能把哈密瓜移种到中国来呢？他说“古来物产可移植”，还列举了菠菜、石榴、葡萄、苜蓿、西瓜为例，同时说到“薝卜分根自大食，茉莉购种从波斯”。也就是指出，茉莉不是中国原产的花卉，而是从波斯传来的。

一般中国人的印象，总以为茉莉花“自古以来”就生长在中华大地，就盛开在黄河长江流经的土地上，“芬芳美丽满枝椏，又香又白人人夸”，莳种在篱边，摆设在案头，簪插在鬓角。茉莉，是我们日常身边最熟悉的花朵，是我们生

北宋赵昌茉莉花图

活中最常见到的纯洁娇艳，最常闻到的芳香馥郁，竟然是外国传来的，是移植来的品种，是“新移民”，在中华大地安家落户，而非中国原产，没有“本土性”？

赵翼学问渊博，曾经撰写《廿二史杂记》《陔余丛考》等书，他的说法没错，茉莉的确不是中国原产，是外国移植过来的。不仅是清朝的赵翼，许多古代学者都知道茉莉花的来历，知道她的祖先“非我族类”，甚至指出，“茉莉”这名字也非常的“不中国”，而是像彼得、保罗、玛丽一样，是用汉字写下的外国名字。明朝李时珍《本草纲目·草部》有

"茉莉"一项："嵇含《草木状》作末利，《洛阳名园记》作抹厉，佛经作抹利，《王龟龄集》作没利，《洪迈集》作末丽。盖末利本胡语，无正字，随人会意而已。"李时珍还说："末利原出波斯，移植南海，今滇、广人栽莳之。"看来，赵翼关于茉莉的知识，来自李时珍的《本草纲目》，有一定的权威性。那么，茉莉的原产地是波斯吗？

那要看你所指的"波斯"，究竟是指模模糊糊印象中的"波斯胡"，还是具体的历史地望的波斯了。古人讲"波斯胡"，经常是泛指从海上来的外国人，可能来自东南亚，可能是印度人，也可能是古波斯地区的人，甚至可能是犹太人。具体到"波斯国"的地理位置，有的（如《魏书》《周书》《隋书》《旧唐书》《新唐书》《大唐西域记》）是指古波斯，也就是今天的伊朗地区，有的（如《酉阳杂俎》《岭外代答》《诸蕃志》）则指的是南海中的小国，在今天的苏门答腊。那么，茉莉原产地的"波斯"，究竟是哪里呢？

在植物分类学上，我们熟悉的茉莉是重瓣的，即双瓣茉莉，拉丁学名是 Jasminum sambac。另一种同属的单瓣花，时常被人混称为“茉莉”的白花，古代的本草学家称之为“素馨”，拉丁学名是 Jasminum grandiflorum。也就是说，中国古代有学问的人很清楚“茉莉”与“素馨”的区别，是同属不同种。可是法文与英文对这两种白花的俗称，却比较含混，不分茉莉与素馨，而跟随波斯语及阿拉伯语的植物属称 yāsmin 或 yasmin，一概称之为 jasmin 或 jasmine。英国的植物学家一直到十九世纪还使用 Arabian jasmine 一词，来指称双瓣茉莉，后来才发现不妥。现代中国人学了洋文，居然也不求甚解，完全不知道“茉莉”与“素馨”的区别，以为 jasmine 就该译成茉莉，茉莉花就是 jasmine flower，跟着英国人与法国人一起糊涂了。

倒是中国古人清楚得多。传为晋代嵇含的《南方草木状》，明确区分了“耶悉茗花”与“末利花”，列为两种不同的花卉：“耶悉茗花，末利花，皆胡人自西国移植于南海。南人怜其芳香，竞植之。陆贾《南越行记》曰，南越之境，五谷无味，百花不香。此二花特芳香者，缘自胡国移至，不随水土而变，与夫橘北为枳异矣。彼之女子，以彩丝穿花心，以为首饰。”还特别说明了两者有明显的不同，茉莉花要比耶悉茗花（即素馨）来的香：“末利花，似蔷靡之白者，香愈于耶悉茗。”关于《南方草木状》一书的真伪，是否晋代的著作，学者有不同的意见，但是此书在宋代出现，所记材料最晚也是唐宋历史资料，却是无可置疑的。可见，“耶悉茗花”，早在宋代之前就已传入中国，而所用的名称是波斯语 yāsmin 的汉字对音。《清稗类钞 · 植物类》有“茉莉”条，也对茉莉与耶悉茗的区别，做了明确的说明：“茉莉为常绿灌木，其种来自波斯。《南方草木状》谓之耶悉茗，则译音也。本与素馨同类，其名亦同，后入我国，始专称尖瓣细瘦者为耶悉茗。南汉以后，又称素馨，而圆瓣者则谓之茉莉。初夏之夜，开小白花，秋尽而止，香味甚烈，闽广种之最多。”

那么，茉莉一词，是哪里来的呢？

让我们看看印度各地是如何称呼 Jasminum sambac（双瓣茉莉、重瓣茉莉）的。古梵语称之为 Mallikā，印地语称之为 Moghrā，蓬加比语是 Motiya，泰米尔语是 Mallikaipu，可以看到，印度各地自古迄今，一直都称呼我们最熟悉的重瓣芳香的小白花为“茉莉”，也就是古代中国人转译的末利、抹厉、抹利、没利，或末丽。李时珍说的完全对：“盖末利本胡语，无正字，随人会意而已。”

《辞海》一九九九年版，“茉莉”条的解释中，有这么一句：“原产印度。”说的没错。

历史方法

《福尔摩斯探案》的早期故事之中，有个《身份之谜》（又译《痴情姑娘》），讲的是一个深度近视的打字员小姐，因为继承了一笔优厚的遗产，被她年轻的继父设了一个“美男金蝉脱壳计”，使她嫁不出去，就可以操纵她每年一百英镑的进账。在她结婚当天，两辆马车一前一后载送新郎新娘去教堂，一转眼新郎失踪了，再也找不到踪影。姑娘不顾家中阻挠，跑到福尔摩斯的寓所来求助，希望能够寻回她的准新郎。姑娘离开之后，福尔摩斯问华生医生，从姑娘的穿着打扮上观察到了什么？华生说，姑娘戴了一顶石板色宽边的草帽，上面插了一支褐红色的羽毛，黑色夹克缀有黑色的珠子，一串细小的墨玉镶边。衣裳的黄褐色比咖啡色略深，衣领与袖口都有紫色的绒毛。手套是灰色的，右手食指处已经磨破了。穿的靴子却没注意到。她还戴了一副垂下来的小圆形金耳环。

福尔摩斯听了华生的描述，不禁轻轻鼓掌，笑了起来。评语却带着几分揶揄："要我说啊，华生，你算是上了道了，极为出色，真的描述的好。方法用的没错，特别是辨识颜色的本领，可惜却忽略了所有的重点。老弟啊，永远别相信一般印象，要集中精神，注意细节。"

福尔摩斯称赞的"方法"，就是要仔细观察，但是不能盲目观察表面现象，抓不住重点。重点是什么呢？就是其人、其事，为何其人会做其事。大侦探的本领，就是要搞清楚其人究竟是什么样的人，其事究竟是个什么事，而且还要知道是在什么样的环境与场合下，其人为什么做了其事，以至于需要侦探来厘清事件的前因后果。华生虽然观察仔细，但是看到的只是姑娘的穿着打扮，完全不能穿透事物表相，深入探测到姑娘的生活习惯、职业特征与性格倾向。福尔摩斯看到的是什么呢？他观察到，姑娘紫色绒毛镶边的两边袖口，有紧压桌子的痕迹。这种痕迹是打字员与缝纫女工因职业惯性而出现的，但是缝纫女工只有左臂有这样的痕迹，因此姑娘是打字员。她又有夹鼻镜的凹痕，所以是近视眼，有时就会看不清楚身边的情况，容易受到蒙骗。他还观察到其他的细节，断定了姑娘的性格与生活环境，侦破了案情。

福尔摩斯所说的“方法”，颇似历史研究的方法论，是个指导方针。但是他又指出，像华生那样盲目依靠“方法”，只是缠绕在一堆表面的细节，根本无法搞清事实的真相，最后什么也搞不清楚。我在耶鲁大学研读历史的时候，有个教英国史的老教授赫克斯特（J.H.Hexter），最喜欢讨论史学方法涉及的问题，曾出版一本《搞历史》（*Doing History*）。书中指出，现在的历史研究因为工具先进，很容易就搜集到大量的历史资料，连鸡毛蒜皮都有人研究。有人研究一个简单的问题，举证成箩成筐，注释多到本文的好几倍，但是没说出什么名堂，实在不知道研究了干什么，也不知道这种研究成果到底有什么史学意义与人文价值。他同时还指出，现在的史学家动不动就抬出社会科学的理论，也不管合用不合用，就当作史学研究的立论基础，作为呈现历史的指导方针。过了一段时间，那些社会科学理论在社会科学界都受到摒弃，历史书写的立论也就宣告破产。因此，把历史研究当成是社会科学理论的应用科学，不但不科学，简直是无聊至极。

赫克斯特非常强调历史专业训练，看不起业余史学家以及半吊子历史著作，觉得那种没有基本功的历史叙述，写的热闹，说的热闹，在市场上也卖的热闹，可是经不起时间的考验，过了一阵子就淘汰了，毫无存在的价值。他强调自己是“专业历史家”，同时又是“专业历史的爱好者”（amateur of professional history），是“专业历史迷”（professional-history buff），也就是说，迷恋专业历史著作，而且迷恋到可以当消遣读物，不忍释手。说到平日读书，他倒蛮老实地承认，除了专业历史书，他还爱读侦探小说，因为好的历史家就像大侦探一样，可以穿透历史资料的表面，观察到历史事件的真相及意义。

要是福尔摩斯也写历史，赫克斯特大概会奉他为史学大师。

文武昆乱不挡的培凯

周振鹤

我想象作家是靠卖作品赚钱的，鲁迅不是靠版权生活的吗？但中国作家好像又拿工资，所以我弄不清楚作家是什么身份，因而作为作家的郑培凯，我们还是不谈了吧。不过他写了那么多随笔散文，文采又好，内容充实，不是作家也是作家了，这我相信。但培凯又写诗，每年元旦总要送一首新诗给我。当然这也算是对牛弹琴，因为我对新诗一窍不通，看不出什么优劣高下。但培凯写诗的生涯其实很长，以程步奎为名发表了许多诗。这圈内人比我还要清楚，也不用说。近年来培凯又成了书法家，到处办展览。他会写字，我是老早知道的，但怎么一步步进化到“书写斯文”的书法家，我并不十分清楚，也按住不表。

对于文化的推广，尤其是中国优秀传统文化的传承，培凯出过许多力。我则略有所闻。特别是在昆曲方面，在宣扬汤显祖方面，他可说是鞠躬尽瘁。叶扬先生说得好，莎士比亚用不着宣传，汤显祖则应该大大宣传。世人没有不知道莎氏的，而汤显祖就连中国人也不能说家喻户晓。尽管东西这两大戏剧家都死在同一年，身后的荣宠真是天差地别。而培凯可算是汤显祖的功臣，宣传彰显不遗余力。这好像也大家都知道了。那我说个什么劲呢？想来想去，就说些鸡毛蒜皮的小事吧。

我们厦门人叫人是不兴连名带姓地叫的，只称名。如果连姓一起叫了，那就是生人了。培凯与我甫一认识，就直呼我的名字，我觉得似乎又回到老家了。大概是一九九九或二〇〇〇年，我们头一次在台湾认识。参加一个明史的会议。我自己报告些什么早忘了，但培凯的报告是以明代张大复的病作为由头来写文章，我倒是记得清楚的。我觉得蛮有意思，同时联想起他是不是受乃师史景迁影响，从另类的角度来看历史。不过我从此知道他是一个正牌的历史学者，尽管他原来在台大读的是外文系。这以后因为他，以及我在香港城大的另外一位好朋友张隆溪的邀请，去香港呆过或长或短许多回。与培凯聊天的机会自然很多，才发现，原来他是我看过的两种重要杂志的编辑。首先是《抖擞》。我是一九七八年以老童生的身份考进复旦大学读历史地理研究生的。当时历史系资料室有许多外文杂志与一些港台杂志给教师参考，我们这些研究生也跟着沾了光。我记得当时就接触到了《抖擞》杂志，就连过期的也看。研究生毕业后，留校任教。阅读范围更宽一些，才知道还有一本《九州学刊》杂志，是学术刊物。老师硕儒如饶宗颐先生，青年新锐如李零的一些重要文章，我都是在上面看到的。在香港与培凯谈起此事时，他笑着说，这两个杂志他都参加编辑了。后来一查，果然。我根本没有注意到编委会组成人员。不过说老实话，当时即使注意到了，因为尚未与培凯相识，也不会知道是谁谁谁的。二十世纪以来，培凯先后创办了《九州学刊》及《九州学林》，都是纯学术的刊物。《九州学林》是《九州学刊》与王元化先生主编的《学术集林》的整合。培凯善于周旋组稿编织人脉，所以总有不俗的稿源。对于培凯这方面的能力，恐怕作家界知道者少些，故特为拈出。

培凯是上世纪末来到香港的。当时的校长张信刚先生醉心中华文明，准备在香港城市大学创办中国文化中心，要求学生不管任何专业，必须修满一定的中国文化课程的学分，方能毕业。于是在全球招聘中心主任。培凯正是那个时候应聘而来的。一切课程设计，人员招募，无不从头做起。而其结果不但是为城市大学培养了一批既有学科专长，而又对中国文化略识之无的学生。大家知道香港的大学强调实用，重视英语，而于中国传统文化不免有些隔膜。城市大学的这一举措，不但有益于培养后生小子的全面知识，而且其影响甚至扩展至香港各界。不少市民旁听课程的热情，令大陆来的客座学者备受感动。为了引起学生的兴趣，以达到教学的目的，中国文化中心不止有课程讲授，还有修学旅行，书法教育，戏曲观摩，美术展览，无不循循善诱，以细物润无声的方式，取得超乎寻常的效果。

中国文化研究中心不但进行教学，也有科研活动，研究茶叶，编纂茶书，研究陶瓷，阐明海上陶瓷之路，在普及的过程中，重视提高的工作，出版了一系列的学术著作，其成果也为内地学者所瞩目。培凯善于合群，善于处理各种人际关系，与台海两岸的学人都有深入的互动，既有利于中心的工作，又建立了一个学术网路。许多彼此闻名而素不相识的学者，都是在城市大学里才谋面的。香港城大剧场的演出不但是学生的必修课，而且成为中国戏曲传统的典型代表——昆曲的普及道场。我自幼喜欢看戏，但后来随着封资修因素的清扫，也无传统戏可看了。改革开放之后，昆曲在上海重生，先师谭其骧先生观演时必多订两张票，以飨我们夫妇。但没有料到，后来我在城大所听昆曲剧码之多，竟不逊于在上海之所聆。而昆曲界也因为在香港城大的演出，而提升了知名度，这好像是人所共知的事了。

不过于我而言，最佩服培凯的除了他的文武昆乱不挡的本事之外，还在于他能够张弛有度，收放自如。能拿起，能放下。能凌晨三四点起来赶写专栏，能在台上锣鼓喧天的情况下，说睡着就睡着。所以始终精力充沛，应付裕如。

从来不见其戚眉焦虑，亦不闻其高声怒喝，唯一读到其动气怒斥的文字，是批评那个无知妄说郑和到过澳洲到过美洲的妄人孟席斯。我想那次他是真的动气了，还认真买来《1420》一书，读了一遍，才切切实实写了一篇批判的文章，体现了历史学者的力量，比起我们仅仅嗤之以鼻不屑一顾的态度起的作用大多了。培凯恐怕还有许多方面为我所不识，但拙于见识与笔力，只能点到这里为止了。

图书在版编目（CIP）数据
历史人物与文化变迁 / 郑培凯著. —上海：文汇出版社，2017.7
(赏心乐事谁家院)
ISBN 978-7-5496-2075-3

Ⅰ. ①历… Ⅱ. ①郑… Ⅲ. ①文化史－中国－古代－文集 Ⅳ. ① K220.3-53

中国版本图书馆 CIP 数据核字 (2017) 第 079320 号

赏心乐事谁家院：历史人物与文化变迁

作　　者　郑培凯

《书城》杂志出品
出 品 人　李　爽
策 划 人　含梅阁
责任编辑　陈今夫
策划编辑　齐晓鸽
助理编辑　钱　斌
书法题词　郑培凯
装帧设计　张志全

出版发行　文匯出版社
上海市威海路755号
(邮政编码200041)

排　　版　南京展望文化发展有限公司
印刷装订　上海中华商务联合印刷有限公司
版　　次　2017年7月第1版
印　　次　2017年7月第1次印刷
开　　本　889 × 1194　1/32
字　　数　130千
印　　张　9.75

ISBN 978-7-5496-2075-3
定　　价　49.00元